DESCONECTA

La Guía Definitiva de Técnicas para
Dejar de Pensar Demasiado, Gestionar
el Estrés y Dominar Tus Emociones

Simone Keys

Índice

Introducción

Estoy sentada en mi cafetería favorita, observando el ajetreo de la gente a mi alrededor, y me doy cuenta de que el estrés es algo inevitable. No podemos escapar de él, y es que parece que en estos tiempos no hay forma de evitarlo. Todos experimentamos el estrés en algún momento de nuestras vidas, ya sea por las exigencias del trabajo, las responsabilidades familiares, los problemas económicos o de salud.

Desde siempre, el tema del estrés me ha intrigado. Tal vez sea porque viví diversas experiencias que lo han desencadenado. Conozco de primera mano lo perjudicial que puede ser, ya que lo he experimentado en todas las etapas de mi vida. Desde mis días como estudiante universitaria, preparándome para los exámenes, hasta los actuales, en los que intento cumplir con múltiples tareas diferentes en un tiempo simultáneo.

Pero, ¿qué significa realmente el término "estrés" y por qué tiene un impacto tan significativo en nuestras vidas? A medida que me adentraba en el tema, descubrí que el estrés es una respuesta fisiológica que experimenta nuestro cuerpo ante situaciones imaginarias de problemas o peligros.

Cuando nuestro cerebro percibe una situación estresante, se liberan sustancias químicas como el cortisol y la adrenalina, preparando el cuerpo para la respuesta de "luchar o huir".

Esta respuesta puede ser útil en algunas circunstancias, como cuando necesitamos escapar de un peligro real, pero puede volverse perjudicial si se convierte en una regulación constante. El estrés crónico se ha relacionado incluso con problemas de salud física y mental, como la hipertensión, las enfermedades cardíacas y la depresión.

A medida que profundicé en mis estudios sobre el estrés, me di cuenta de su complejidad y su naturaleza multifacética. Nuestro entorno, las personas con las que interactuamos e incluso nuestros propios patrones de pensamiento pueden influir en cómo nos sentimos emocional y mentalmente en cualquier momento.

Sin embargo, cuanto más aprendí sobre el tema, más me interesaba descubrir cómo podemos controlar el estrés sin recurrir a comportamientos poco saludables, como los atracones de comida o el consumo de drogas, por lo que, a lo largo de los años, probé numerosos métodos diferentes para enfrentarlo, tales como la meditación, el ejercicio y la psicoterapia, entre otros.

A través de la experiencia, descubrí que hay estrategias clave que nos ayudan a enfrentar el estrés de manera más constructiva. Algunas han sido más exitosas que otras, pero he aprendido mucho en el proceso de explorar todas estas opciones.

Sé que este libro se va a convertir en un recurso invaluable en tu búsqueda para aprender y aplicar estas estrategias en tu vida diaria. A través de los consejos y técnicas que te compartiré, encontrarás formas efectivas de gestionar el estrés, ya sea que esté causado por el trabajo, la familia o las presiones cotidianas.

Te confieso que no tengo formación médica, ni soy un terapeuta profesional, pero quiero compartir mi perspectiva contigo y las lecciones que he aprendido de mis propias vivencias. Estoy convencida de que este punto de vista puede ser útil y valioso, especialmente para quienes están luchando contra el desafío del estrés.

Espero ayudarte a recuperar la calma y el equilibrio en tu vida. Ya sea que seas un profesional ocupado tratando de conciliar el trabajo y la familia, un estudiante abrumado por exámenes y tareas, o simplemente alguien que siente que el estrés está tomando el control de su vida, estoy aquí para acompañarte en este viaje de autodescubrimiento y crecimiento personal.

En última instancia, creo firmemente que juntos podemos contribuir a hacer del mundo un lugar mejor y más saludable. Comenzando por nuestras propias vidas, al aprender a gestionar eficazmente el estrés, estaremos mejor preparados para enfrentar los desafíos de la vida y construir comunidades y sociedades más fuertes y resilientes.

Te doy la bienvenida a este viaje hacia una vida más tranquila, equilibrada y sin estrés.

CAPÍTULO 1

El estrés: su impacto en tu bienestar

Definición del estrés y su influencia en la salud física y mental

El estrés es una respuesta natural y fisiológica que experimentamos cuando nos enfrentamos a situaciones que percibimos como desafiantes, amenazantes o demandantes. Se trata de una reacción del organismo que activa diferentes sistemas, como el sistema nervioso y endocrino, y puede manifestarse tanto a nivel físico como emocional.

El estrés puede ser provocado por diversos factores, como el trabajo, los estudios, las relaciones personales o los cambios importantes en la vida. Si bien cierto nivel de estrés puede ser normal y motivador, el estrés crónico o excesivo puede tener efectos negativos en nuestra salud y bienestar. Es importante aprender a gestionarlo adecuadamente para mantener un equilibrio y bienestar en nuestra vida diaria.

¿Sabías que puede desencadenar fluctuaciones hormonales que impactan nuestra salud física? Desde acelerar nuestro ritmo cardíaco hasta debilitar nuestro sistema inmunológico y hacernos más susceptibles a enfermedades, el estrés puede causar estragos.

Pero eso no es todo. También debemos tener en cuenta los efectos psicológicos que pueden ser incapacitantes. La ansiedad persistente, la depresión y la irritabilidad pueden dificultar incluso las tareas más básicas de la vida diaria, reduciendo nuestra capacidad mental y nuestra capacidad para recordar información. Además, el estrés puede perturbar nuestro descanso, dejándonos agotados y sin la preparación necesaria para enfrentar los desafíos diarios.

No obstante, quiero transmitirte un mensaje de esperanza. Al reflexionar sobre cómo el estrés está desconectado de nuestras vidas, podemos utilizar ese conocimiento para tomar medidas en el futuro. Podemos adoptar un enfoque centrado en nuestro bienestar emocional y mental. Si sientes los efectos negativos del estrés, déjame decirte que no estás solo. Muchos de nosotros experimentamos esos desafíos, pero no debemos perder la esperanza.

A través del autocuidado y la reducción del estrés, podemos descubrir la paz y la armonía. Implementando tácticas y ejercicios adecuados, podemos disminuir su impacto en nuestras vidas y encontrar una mayor sensación de calma y disfrutar en el presente.

Reconociendo las señales de estrés en tu cuerpo

Como alguien que ha experimentado los estragos del estrés crónico, sé lo difícil que es detectar los primeros síntomas de que nuestro cuerpo está al borde del colapso. El estrés puede ser tan insidioso que puede debilitarnos, tanto física como mentalmente, sin que nos demos cuenta de lo que está sucediendo. Podemos quedarnos desamparados y aislados. Por eso, es crucial estar atentos a las señales tempranas y abordarlas antes de que se salgan de control y nos dejen sin aliento.

Dado que el estrés puede sorprendernos y manifestarse de diversas formas, es importante prestar atención a estas señales de advertencia. Podemos experimentar un dolor punzante que comienza en el cuello y se extiende por los hombros y la espalda. También es posible sufrir dolores de cabeza intensos o sentirnos agotados y exhaustos, incluso después de dormir lo suficiente.

A nivel mental, los signos de estrés incluyen trastornos de ansiedad, ataques de pánico y pensamientos acelerados, lo cual puede hacernos sentir indefensos y al borde de un colapso nervioso. Los síntomas depresivos también son comunes, pudiendo sentirnos desesperanzados, con dificultad para concentrarnos, olvidando cosas y volviéndonos irritables incluso con las personas que más nos quieren.

Sin embargo existen técnicas y actividades físicas que pueden ayudarnos a manejar mejor el estrés y recuperar el control de nuestras vidas. El ejercicio libera endorfinas que mejoran nuestro estado de ánimo, mientras que la respiración profunda nos ayuda a relajar tanto la mente como el cuerpo.

La práctica de la meditación de atención plena nos permite sintonizar con nuestro mundo interior, y el yoga es una maravillosa forma de calmar los nervios y mejorar nuestra salud. Ambos métodos aumentan nuestra conciencia de la experiencia interna. Además, buscar el apoyo emocional de amigos y familiares en momentos difíciles nos hace sentir que no estamos solos.

El primer paso para crear estrategias efectivas para enfrentar el estrés es reconocer las manifestaciones físicas que este tiene en nuestro cuerpo. Con esfuerzo, paciencia y tomando responsabilidad de nuestra vida, podemos aprender a lidiar con el estrés y disfrutar del momento presente.

¡Emprendamos juntos esta aventura y salgamos victoriosos en nuestra lucha contra el estrés!

Ejercicios prácticos para el control del estrés

Cuando las exigencias de la vida cotidiana no dan tregua, puede parecer que combatir el estrés es una lucha cuesta arriba. Sin embargo, no temas, porque hay acciones que puedes tomar para calmar tu mente, mejorar tu salud y encontrar la felicidad en general.

Permíteme compartir contigo algunos ejercicios que personalmente he encontrado eficaces para aliviar el estrés y elevar mi estado de ánimo.

Una técnica maravillosa para aliviar el estrés y cultivar una actitud más positiva hacia la vida es llevar un "diario de gratitud". Dedica unos minutos diarios a escribir tres cosas por las que estés agradecido, sin importar cuán pequeñas puedan parecer.

Si te gustan actividades creativas como pintar, dibujar o escribir, estas pueden ser formas eficaces de gestionar el estrés. Al enfocarte en el momento y liberar emociones negativas de manera positiva, podrás alcanzar dos objetivos a la vez.

La actividad física es esencial. Si quieres sentirte mejor y tener menos estrés en tu vida, es crucial que reserve tiempo para hacer ejercicio de forma regular. Encuentra algo que realmente disfrutes, como caminar, correr o practicar yoga, e incorporarlo en tu rutina.

Por último, pero no menos importante, la interacción social ha demostrado aliviar el estrés y mejorar el estado de ánimo. Dedica más tiempo a estar con amigos y familiares, organiza salidas para cenar o ver una película juntos. Busca la compañía de personas optimistas y alentadoras, ya que te ayudarán a sentirte mejor contigo mismo.

Puedes implementar cualquiera de estos pasos, solos o combinados, según se ajusten a tu horario y objetivos personales. Lo más importante es que elijas un método que funcione para ti y lo sigas con constancia. Puedes aprender a lidiar con el estrés y disfrutar de la vida aquí y ahora, solo requiere un poco de tiempo y esfuerzo.

En las próximas secciones de este libro, profundizaremos en ejercicios y métodos específicos para regular tus sentimientos y pensamientos. Aprenderás a controlar tu estrés y llevarás una vida más positiva y saludable sin permitir que el estrés te controle a ti.

¡Recuerda que eres capaz de lograrlo!

Identificando las fuentes de estrés en tu vida

Permíteme ser tu guía en este viaje hacia la identificación de las fuentes de estrés en tu vida. Hoy te invito a reflexionar sobre las diversas situaciones y elementos que pueden estar generando estrés en tu día a día. A través de esta exploración, descubrirás valiosas herramientas para liberarte de su influencia negativa y vivir una vida más equilibrada y plena.

Como ya sabemos, la vida moderna puede ser vertiginosa y exigente. Las responsabilidades laborales, las relaciones personales, las preocupaciones financieras y los desafíos cotidianos pueden acumularse, todo esto nos puede abrumar y robarnos nuestra tranquilidad.

Por esto es crucial que te tomes un momento para analizar qué factores específicos están contribuyendo a tu estrés. Aquí te presento algunas áreas comunes que debes considerar:

El trabajo: pasamos una gran parte de nuestras vidas en el entorno laboral. ¿Tu trabajo actual te brinda satisfacción y un sentido de propósito? ¿O te encuentras atrapado en una rutina que te agota emocional y físicamente? Reflexiona sobre si tu trabajo está en armonía con tus valores y si te brinda la oportunidad de crecer y desarrollarte profesionalmente.

Relaciones personales: las interacciones con los demás pueden ser tanto una fuente de alegría como de estrés. Observa tus relaciones cercanas: ¿te sientes apoyado y amado, o experimentas tensión y conflicto? Asegúrate de establecer límites saludables y rodearte de personas que te brinden energía positiva y te impulsen a ser la mejor versión de ti mismo.

Finanzas: las preocupaciones financieras pueden generar una gran carga de estrés en nuestras vidas. Evalúa tu relación con el dinero y analiza si tus hábitos de gasto y ahorro están alineados con tus metas a largo plazo. Establecer un presupuesto realista y desarrollar una mentalidad de abundancia te permitirá tomar el control de tus finanzas y reducir el estrés asociado.

Autocuidado: muchas veces, descuidamos nuestra propia salud y bienestar en medio de las demandas diarias. ¿Te dedicas tiempo suficiente para descansar, relajarte y nutrir tu cuerpo y mente? Recuerda que cuidarte a ti mismo es una prioridad, no un lujo. Practica actividades que te brinden calma y satisfacción, como meditar, hacer ejercicio, leer o pasar tiempo al aire libre.

Expectativas irracionales: a menudo, nos ponemos una presión excesiva al tratar de cumplir con expectativas poco realistas, tanto impuestas por nosotros mismos como por la sociedad. Reflexiona sobre si estás tratando de ser perfecto en todas las áreas de tu vida y si esto te genera un estrés necesario. Aprende a aceptarte tal como eres y establece metas alcanzables que te permiten crecer sin agobiarte.

Recuerda que identificar las fuentes de estrés es el primer paso hacia el cambio. Una vez que reconozcas los elementos que te rompieron negativamente, puedes tomar medidas concretas para minimizar su impacto en tu vida.

No tengas miedo de buscar ayuda profesional si es necesario. Terapeutas, asesores o pueden brindarte herramientas adicionales para manejar el estrés de manera efectiva.

Te animo a que te dediques un tiempo para reflexionar sobre las diferentes fuentes de estrés en tu vida. Recuerda que eres el protagonista de tu propia historia y tienes el poder de transformarla. No permitas que el estrés te robe la alegría y la paz interior. Confía en ti mismo y da los pasos necesarios para vivir una vida más equilibrada, plena y llena de serenidad.

Capítulo 2
Atención plena: cultivando la plenitud en cada momento

Descubriendo la magia de la atención plena: El poder transformador del aquí y ahora

La atención plena, también conocida como mindfulness, nos invita a sumergirnos en el momento presente con plena conciencia y aceptación. Es un arte que nos permite despertar y saborear cada experiencia de la vida con una mente abierta y un corazón compasivo. Al practicar la atención plena, podemos liberarnos de las cadenas del estrés y encontrar la paz interior que tanto anhelamos.

Esta práctica milenaria nos brinda una serie de beneficios profundos para reducir el estrés y mejorar nuestro bienestar en general. Al estar plenamente presente en el aquí y ahora, nos liberamos de las preocupaciones del pasado y las ansiedades del futuro, permitiéndonos disfrutar plenamente de cada momento. La atención plena nos ayuda a calmar la mente, reducir la ansiedad y cultivar una mayor claridad mental y emocional.

Al practicar la atención plena de forma regular, podemos entrenar nuestra mente para ser conscientes de nuestros pensamientos, emociones y sensaciones corporales sin juzgarlos ni reaccionar impulsivamente. Esto nos permite responder de manera más equilibrada y compasiva a los desafíos de la vida, en lugar de caer en patrones automáticos de estrés y reactividad.

Sumergiéndonos en la práctica: Consejos y ejercicios para cultivar la atención plena

La atención plena es una práctica que se puede incorporar fácilmente en nuestra vida cotidiana, brindándonos la oportunidad de experimentar la plenitud en cada momento. Aquí te presento algunas prácticas de atención plena que puedes integrar en tu rutina diaria:

a) Atención plena en la respiración: toma unos minutos al día para concentrarte en tu respiración. Observa cómo el aire entra y sale de tu cuerpo, sintiendo cada inhalación y exhalación. Si tu mente divaga, la puedes redirigir suavemente hacia la sensación de la respiración. Este ejercicio te ayuda a calmar la mente y a estar presente en el momento actual.

b) Atención plena en las actividades cotidianas: realiza una actividad común, como lavar los platos, con total atención. Siente el agua tibia en tus manos, observa los colores y las texturas de los platos, y aprecia cada movimiento consciente. Al hacerlo, transforma una tarea ordinaria en una oportunidad para conectarte contigo mismo y el mundo que te rodea.

c) Atención plena en el caminar: cuando camines, enfócate en cada paso que das. Siente el contacto de tus pies con el suelo, la sensación de tus músculos moviéndose y la brisa acariciando tu piel. Observa los detalles de tu entorno y conecta con la belleza de la naturaleza que te rodea. Caminar conscientemente te ayuda a anclarte en el presente y encontrar calma en movimiento.

Iniciando tu viaje de meditación de atención plena: encuentra la tranquilidad en la práctica diaria

La meditación de atención plena es una herramienta poderosa para cultivar una mayor claridad mental y serenidad interior. Comienza tu práctica de meditación encontrando un lugar tranquilo y cómodo donde puedes sentarte en una postura relajada pero alerta.

Comienza enfocando tu atención en tu respiración, sintiendo cómo el aire entra y sale de tu cuerpo. A medida que tu mente se desvíe hacia otros pensamientos, simplemente observarlos sin juzgar y suavemente redirigir tu atención hacia la respiración. Permite que tus pensamientos fluyan y se vayan sin pegarte a ellos.

Puedes comenzar con sesiones cortas de meditación de cinco a diez minutos al día e ir aumentando gradualmente. A medida que avances, podrás explorar diferentes enfoques de meditación, como el escaneo corporal, la meditación guiada o la meditación de bondad amorosa.

Recuerda que la práctica de la atención plena es un proceso continuo y personal. No te exijas demasiado y sé amable contigo mismo a lo largo del camino. Con la práctica constante, comenzarás a experimentar los beneficios transformadores de la atención plena en tu vida diaria.

Beneficios de la atención plena para la salud y el bienestar

La atención plena puede ser uno de nuestros grandes aliados si queremos reducir el estrés y mejorar nuestra salud y bienestar, entre otras razones la práctica del *mindfulness* nos permite:

Reducir el estrés y la ansiedad: encontrando equilibrio en la vida cotidiana. La atención plena ofrece una poderosa herramienta para reducir el estrés y la ansiedad que enfrentamos en nuestras vidas diarias. Al practicar la atención plena, aprendemos a estar presentes en el momento presente ya cultivar una relación saludable con nuestras emociones y pensamientos. Esto nos permite encontrar un equilibrio en la vida cotidiana, liberándonos de la carga del estrés y la ansiedad excesiva.

Mejorar la concentración y la productividad: al enfocar y tener mayor eficiencia en las Tareas. Cuando estamos presentes en el momento presente, nuestra capacidad de concentración se fortalece. La práctica de la atención plena nos enseña a enfocar nuestra atención en una sola tarea a la vez, impidiendo la dispersión mental. Esto conduce a una mejora significativa en nuestra capacidad para concentrarnos en nuestras tareas y aumentar nuestra productividad de manera eficiente.

Bienestar mental y emocional: la atención plena nos brinda las herramientas para cultivar un estado de bienestar mental y emocional duradero. Al estar presente en cada momento, desarrollamos una mayor estabilidad emocional y una mayor capacidad para gestionar el estrés. También fomenta la resiliencia, permitiéndonos recuperar más rápidamente de los desafíos y dificultades de la vida.

Integrando la atención plena en las relaciones interpersonales

La atención plena nos ayuda a mejorar nuestras habilidades de comunicación al fomentar una escucha consciente y una comprensión profunda. Al estar totalmente presente en una conversación, podemos cultivar la empatía y la comprensión hacia los demás, creando un ambiente de respeto y conexión genuina.

De igual forma, la práctica de la atención plena nos permite desarrollar y mantener relaciones interpersonales saludables y significativas. Al estar presentes en nuestras interacciones, podemos conectarnos a un nivel más profundo con los demás, fomentando la empatía y el apoyo mutuo. Esto contribuye a relaciones más satisfactorias y enriquecedoras.

La atención plena también nos ayuda a abordar los conflictos de manera consciente y pacífica. Al estar presente en el momento presente durante los desafíos, podemos responder en lugar de reaccionar impulsivamente. Esto nos permite encontrar soluciones creativas y transformar los conflictos en oportunidades de crecimiento personal y relacionarnos adecuadamente con otras personas.

Integrando la atención plena en el mundo laboral y profesional

La atención plena tiene un impacto significativo en nuestro mundo laboral cuando mejoramos nuestro enfoque y claridad en el trabajo. Al estar plenamente presente en nuestras tareas laborales, podemos realizarlas con mayor eficiencia y precisión, lo que a su vez genera un aumento en nuestra la productividad y rendimiento.

Por otra parte, la práctica de la atención plena nos ayuda a encontrar un equilibrio saludable entre nuestra vida personal y profesional. Al estar presente en cada aspecto de nuestras vidas, podemos establecer límites claros y requisitos adecuados. Esto nos va a permitir disfrutar de una mayor armonía y satisfacción en todas las áreas de nuestra vida.

La práctica de la atención plena también tiene un impacto poderoso en el liderazgo. Los líderes conscientes practican la atención plena en su forma de comunicarse, tomar decisiones y gestionar a su equipo. Al ser conscientes y auténticos, inspiran a alcanzar su máximo potencial y crean un entorno de trabajo positivo y otros motivadores.

Obstáculos y oportunidades para la práctica de la atención plena

Cuando iniciamos la práctica de la atención plena, es posible que nos topemos con algunos obstáculos, pero no desfallezcas, todo tiene solución. La mente errante es un obstáculo común en la práctica de la atención plena. Sin embargo, a través de la persistencia y la paciencia, podemos cultivar una mayor capacidad para redirigir nuestra atención al momento presente.

También es importante recordarnos ser amables y compasivos con nosotros mismos cuando la mente se distrae, fomentando así la autocompasión en nuestro viaje de atención plena.

Incorporar la atención plena en nuestra rutina diaria nos ayuda a recordar que cada momento puede ser una oportunidad para practicar la presencia consciente. Ya sea al comer, caminar o realizar tareas cotidianas, podemos transformar estos momentos en experiencias significativas al estar muy presente y conectado con nosotros mismos y nuestro entorno.

Mantener una práctica de atención plena a largo plazo requiere motivación y recordatorios constantes. Establecer recordatorios visuales, practicar en grupo y encontrar fuentes de inspiración son formas efectivas de mantener nuestra práctica activa.

También es útil recordar los beneficios que experimentamos a través de la atención plena, lo que nos motiva a continuar y profundizar en nuestro camino de crecimiento personal.

CAPÍTULO 3

Desapego: Abrazando La Liberación De Los Pensamientos Y Emociones Negativas

La magia de dejar ir: transformando el impacto de los pensamientos y emociones negativas

En este capítulo de liberación, vamos a explorar el poder transformador de dejar ir los pensamientos y emociones negativas que nos limitan. Comprender el impacto que estas energías tienen en nuestra vida es el primer paso para encontrar la libertad emocional y mental que anhelamos.

Cuando nos aferramos a pensamientos y emociones negativas, permitimos que contaminen nuestra mente y nos roben la alegría y la paz interior. Es como cargar una mochila pesada llena de preocupaciones, resentimientos y autocrítica constante. Pero no tenemos que llevar ese peso innecesario.

Al tomar conciencia de cómo los pensamientos negativos influyen en nuestras percepciones y acciones, abrimos la puerta a un cambio profundo. Nos damos cuenta de que tenemos el poder de liberarnos de esas ataduras y crear una vida más positiva y plena.

Herramientas para abrazar la libertad emocional y mental

Ahora es el momento de adentrarnos en las técnicas que nos ayudan a liberarnos de la negatividad emocional y mental.

Aquí tienes algunas herramientas prácticas que puedes aplicar en tu vida diaria:

a) La transformación del pensamiento: observa tus pensamientos negativos sin juzgarlos. Reconoce que no eres tus pensamientos y que tienes el poder de cambiarlos. Reemplaza los pensamientos negativos por afirmaciones positivas y constructivas. Por ejemplo, si te encuentras pensando "No soy lo suficientemente bueno", cámbialo por "Soy valioso y capaz de lograr lo que me proponga".

b) La danza de las emociones: permítete sentir tus emociones negativas sin resistencia. Reconoce que las emociones son temporales y no te define como persona. Acepta que es natural experimentar una amplia gama de emociones y busca maneras saludables de procesarlas, como hablar con un ser querido o escribir en un diario.

c) La gratitud transformadora: cultiva la gratitud como una práctica diaria. Enfócate en las cosas positivas de tu vida y expresa tu agradecimiento. Mantén un diario de gratitud donde anotas tres cosas por las que te sientas agradecido cada día. Esto te ayudará a cambiar tu enfoque hacia lo positivo y atraer más alegría a tu vida.

Ejercicios para abrazar la liberación

Ahora, te invito a sumergirte en ejercicios concretos que te ayudarán a soltar la negatividad y abrazar la liberación:

a) El ritual del soltar: escribe en un papel todos los pensamientos y emociones negativas que deseas liberar. Luego, quema el papel de forma segura, visualizando cómo esas energías se transforman en cenizas y se disuelven en el aire. Siente la ligereza y el espacio que se crea en tu interior.

b) La visualización de la renovación: cierra los ojos y visualiza un paisaje hermoso y tranquilo. Imagina que estás dejando ir todas las cargas emocionales y mentales. Con cada respiración, siente cómo te llenas de luz y paz. Imagina cómo este nuevo estado te permite moverte libremente y abrirte a nuevas experiencias positivas.

c) La práctica del autocuidado: dedica tiempo cada día para cuidar de ti mismo. Realiza actividades que te brinden alegría y relajación, como tomar un baño relajante, leer un libro inspirador o dar un paseo por la naturaleza. Recuerda que cuidarte a ti mismo es un acto de amor y una forma poderosa de alejarte de la negatividad.

Al practicar estos ejercicios y herramientas, descubrirás una sensación renovada de libertad y ligereza. Te abrirás a un mundo lleno de posibilidades y vivirás una vida más plena y auténtica.

La importancia del autocuidado en el proceso de desapego

El autocuidado es un pilar fundamental en nuestro viaje hacia la liberación de pensamientos y emociones negativas. Enfocarnos en el autocuidado nos brinda un refugio reconfortante y nos inspira a alcanzar nuevas alturas.

Nuestro cuerpo es un templo sagrado que merece ser cuidado con cariño. Lo hacemos al alimentarnos de manera consciente, eligiendo alimentos nutritivos que nos den energía y vitalidad, o al dedicarnos tiempo para escuchar las necesidades de nuestro cuerpo y a proporcionarle el descanso y el sueño reparador que requiere. Cada paso que damos hacia una alimentación saludable y un descanso adecuado nos acerca aún más a nuestra armonía interior.

La mente de cada uno de nosotros es como un jardín, y debemos nutrirla con pensamientos positivos y amorosos. Practiquemos la atención plena para reconocer y liberar los patrones negativos de pensamiento. Permítete momentos de tranquilidad y paz mental a través de la meditación, la respiración consciente o cualquier otra práctica que te haga sentir en armonía contigo mismo. Enfocarte en tu bienestar mental te ayudará a desapegarte de las emociones negativas y a cultivar una mente clara y serena.

La conexión con la naturaleza es una fuente inagotable de inspiración y sanación. Permítete disfrutar de la belleza que nos rodea: un amanecer pintando el cielo, el canto de los pájaros o un paseo por el bosque. Tómate un tiempo para conectar con la tierra, sintiendo la brisa en tu piel y la tierra bajo tus pies. La naturaleza nos enseña a soltar ya fluir, recordándonos que somos parte de un todo más grande.

Otra forma de cuidarnos a nosotros mismos, es aprendiendo a decir "no": El desapego también implica liberarnos de las cargas necesarias y aprender a establecer límites saludables. No tengas miedo de decir "no" cuando algo no esté alineado con tus necesidades o valores. Reconoce que tu tiempo y energía son valiosos y merecen ser dedicados a lo que realmente importa. Al establecer límites, te empoderas y te abres a nuevas oportunidades de crecimiento y bienestar.

Celebra el autocuidado en comunidad, recuerda que no estás solo en este viaje. Busca el apoyo y la compañía de aquellos que comparten tus valores y te animan a cuidarte a ti mismo. Juntos, podemos crear un espacio de amor y comprensión donde el autocuidado sea celebrado y fomentado. A través de la colaboración y el apoyo mutuo, nos fortalecemos y nos recordamos la importancia de cuidarnos a nosotros mismos.

El autocuidado es un regalo que te puedes brindar a ti mismo en cada etapa de tu vida. Al nutrir tu cuerpo, calmar tu mente y establecer límites saludables, te abre una experiencia de desapego más profunda y transformadora.

Permítete recibir el amor y la atención que mereces, y recuerda que el autocuidado es un acto de amor hacia ti mismo y hacia los demás. Juntos, podemos abrazar la liberación y vivir una vida plena y significativa.

Viviendo en el presente: liberándonos del pasado y la preocupación por el futuro

Enfocarnos en el presente, nos permite liberarnos del peso del pasado y la ansiedad del futuro. Permíteme compartir contigo la belleza de vivir plenamente en el aquí y ahora, donde la vida realmente sucede. Te invito a explorar los siguientes puntos clave para abrazar esta liberación:

Dejar ir el pasado: el pasado ya no nos define. Aceptemos que no podemos cambiar lo que ha ocurrido, pero podemos elegir cómo nos relacionamos con él. Reconozcamos las lecciones que hemos aprendido y perdonémonos a nosotros mismos ya los demás por cualquier dolor o error pasado. Al soltar las cargas del pasado, creamos espacio para experimentar la alegría y la plenitud en el presente.

Cultivar la gratitud por el momento presente: el presente es un regalo. Tómate un momento para apreciar las pequeñas cosas de la vida: la suave brisa acariciando tu rostro, el cálido abrazo de un ser querido, el aroma del café por la mañana. Practica la gratitud, reconociendo las bendiciones que te rodean en este momento. Al hacerlo, te encuentras en un estado de apertura y alegría, atrayendo más cosas positivas hacia tu vida.

Enfocar la atención en el aquí y ahora: la mente tiende a divagar entre el pasado y el futuro, pero el poder se encuentra en el presente. Cultiva la atención plena, dirigiendo tu enfoque hacia el momento presente. Observa tus pensamientos y emociones sin juzgarlos, simplemente permitiéndolos estar y luego dejándolos ir. Al estar totalmente presente, nos conectamos con la esencia de la vida y nos liberamos de la preocupación y la ansiedad.

Practicar la respiración consciente: la respiración es un ancla al presente. Tómate un momento para centrarte en tu respiración, sintiendo cómo el aire entra y sale de tu cuerpo. Observa cómo te conectas con el ritmo natural de la vida. La respiración consciente nos ayuda a estar presentes, a encontrar calma en medio del caos ya redescubrir la paz interior.

Abrazar la incertidumbre del futuro: preocuparse por el futuro solo nos roba la alegría del presente. Acepta que el futuro es desconocido y abraza la incertidumbre con confianza. En lugar de preocuparte por lo que vendrá, enfócate en lo que puedes hacer hoy para construir el futuro que deseas. Confía en tu capacidad para enfrentar cualquier desafío que se presente y vive cada día con determinación y gratitud.

Al vivir plenamente en el presente, nos liberamos de las cargas del pasado y de la ansiedad por el futuro. Aprovechemos este momento, ya que es en este instante donde encontramos la verdadera felicidad y la paz interior. Nosotros merecemos vivir una vida llena de amor, alegría y realización.

CAPÍTULO 4

Gratitud: despertando la fuerza del pensamiento positivo

Abriendo nuestro corazón a la gratitud: Su poder en la salud mental

La gratitud es mucho más que una simple palabra; es una práctica que nos conecta con la belleza y abundancia de cada momento de nuestras vidas.

Cuando abrimos nuestro corazón a la gratitud, creamos un espacio para el positivo y nutrimos nuestra mente con amor y aprecio. La gratitud nos permite enfocarnos en las bendiciones que nos rodean, incluso en los momentos difíciles, y nos ayuda a ver la luz en la oscuridad.

Cultivando un jardín de gratitud en la vida diaria

La gratitud es un hábito poderoso que podemos cultivar en nuestra vida diaria. Aquí te presento algunas formas prácticas de integrar la gratitud en tu rutina:

a) El diario de gratitud: reserva unos minutos cada día para escribir en un diario las cosas por las que te sientes agradecido. Pueden ser grandes o pequeñas bendiciones, como una sonrisa amable de un extraño, una taza caliente de té o un momento de paz en la naturaleza. Al enfocarte en lo positivo, cultivarás una actitud de gratitud que se expandirá en todas las áreas de tu vida.

b) El poder de las palabras: expresa tu gratitud a las personas que te rodean. Tómate el tiempo para decir "gracias" de manera genuina y sincera. Reconoce sus acciones y palabras bondadosas. Al hacerlo, no solo cultivarás la gratitud en ti mismo, sino que también sembrarás semillas de amor y aprecio en los corazones de los demás.

c) La visualización de la gratitud: antes de dormir, cierra los ojos y visualiza todos los momentos de gratitud que experimentaste durante el día. Revive esas sensaciones y permite que te inunden de felicidad y paz. Al llevar esta práctica a tu vida, comenzarás a notar más cosas por las que estar agradecida, creando un ciclo virtuoso de positividad y abundancia.

Ejercicios para practicar la gratitud en cada momento

Ahora, te invito a participar en ejercicios prácticos que te ayudarán a integrar la gratitud en cada momento de tu vida:

a) La respiración de la gratitud: toma unos momentos para respirar profundamente. Mientras inhalas, piensa en algo por lo que estés agradecido en ese momento. Al exhalar, libera cualquier tensión o preocupación. Siente cómo la gratitud inunda todo tu ser y te llena de paz.

b) El enfoque en lo positivo: a lo largo del día, observa conscientemente las cosas positivas que te rodean. Puede ser el sol brillando en el cielo, el aroma de las flores o una conversación inspiradora. Al enfocarte en lo positivo, entrenas tu mente para ver la belleza y la abundancia en cada instante.

c) El acto de servicio: busca oportunidades para ayudar a los demás de manera desinteresada. Al brindar tu tiempo, habilidades o apoyo a quienes lo necesitan, experimentarás la gratitud en acción. Al mismo tiempo, estarás creando un impacto positivo en la vida de los demás, mostrando una cadena de bondad y gratitud.

La gratitud es una elección que podemos hacer en cada momento. Al abrazarla, transformamos nuestra perspectiva y permitimos que la felicidad y el amor inunden nuestras vidas.

La gratitud como transformadora de las relaciones interpersonales

En nuestro viaje hacia la serenidad interior, el equilibrio y la tranquilidad, el despertar de la gratitud debe estar presente, ya que su influencia se extiende más allá de nuestra salud mental y nuestra vida diaria. La gratitud tiene el poder de transformar nuestras relaciones interpersonales, enriqueciendo nuestras conexiones y fortaleciendo nuestros lazos emocionales.

La magia de la gratitud puede fortalecer los lazos familiares y crear un ambiente de amor y apoyo incondicional. Reconocer las bendiciones que cada miembro de nuestra familia aporta a nuestras vidas y cómo expresar su gratitud de manera sincera y regular será siempre de gran ayuda, ya que este simple acto puede elevar el espíritu familiar y fomentar un sentido de unidad y armonía.

Al ir ampliando nuestra red de gratitud, hacia nuestros amigos y seres queridos, entenderemos cómo la gratitud puede profundizar nuestras amistades y relaciones cercanas. Te invito a reflexionar sobre las personas que te rodean y las formas en que han impactado positivamente tu vida y a expresar gratitud de manera auténtica, así verás cómo se van fortaleciendo los vínculos con ellos y cómo se va creando un círculo virtuoso de apoyo y amor.

La gratitud no solo beneficia nuestras relaciones existentes, sino que también puede abrirnos a nuevas conexiones y amistades. Cultivar una actitud de gratitud puede hacer que nos acerquemos a otros con un corazón abierto y generoso, con esto podremos reconocer y valorar las cualidades únicas de las personas que conocemos, creando así una base sólida para construir relaciones significativas y duraderas.

Expresar gratitud en nuestro lugar de trabajo puede fortalecer nuestra vida profesional y contribuir a un entorno laboral positivo y productivo. Reconocer y valorar las contribuciones de nuestros colegas, superiores y subordinados promueve un sentido de camaradería, aumenta la motivación y mejora el bienestar general en el entorno laboral.

La gratitud es una poderosa herramienta que nos permite enriquecer nuestras relaciones interpersonales. A medida que practicamos la gratitud hacia nuestras familias, amigos, seres queridos y colegas, nutrimos nuestras conexiones, creamos un sentido de pertenencia y promovemos un mundo más amoroso y compasivo.

Continúa tu viaje de gratitud, y verás cómo esta maravillosa práctica transforma no solo tu vida personal, sino también la forma en que te relacionas con los demás.

Permíteme recordarte que el poder de la gratitud reside en tu corazón, y cada día es una oportunidad para abrirlo y compartir su luz con aquellos que te rodean.

CAPÍTULO 5

El arte de la felicidad: descubriendo la alegría en cada día

Cultivando la satisfacción y el bienestar psicológico

La felicidad no es solo un destino, sino un viaje en el que podemos embarcarnos conscientemente para vivir una vida plena y satisfactoria. Hay estudios científicos han demostrado que existe una estrecha relación entre la satisfacción y el bienestar psicológico. Cuando aprendemos a nutrir nuestra mente y nuestro corazón, podemos experimentar un aumento significativo en nuestra felicidad y bienestar general.

En nuestro camino hacia la alegría y la serenidad interior, es fundamental dedicar tiempo y esfuerzo a cultivar nuestra satisfacción y bienestar psicológico, es por esto que quiero compartir contigo algunas reflexiones y prácticas que te pueden ayudar en este maravilloso proceso de autodescubrimiento y autotransformación.

Reconoce tu valía personal: comienza reconociendo que eres una persona valiosa y merecedora de amor y felicidad. No dejes que la autocrítica o la comparación con otros te desalienten. Ámate a ti mismo y valora tus cualidades y logros, por pequeños que sean. Recuerda que eres único y especial.

Practica la autocompasión: A menudo, somos más duros con nosotros mismos de lo que seríamos con nuestros seres queridos. Aprende a tratarte con amabilidad y flacidez. Permítete cometer errores y aprender de ellos. Cultiva la paciencia y la tolerancia contigo mismo. Reconoce que merece cuidado y comprensión en todo momento.

Encuentra tu propósito: Conectar con un propósito significativo en la vida puede generar una profunda satisfacción y bienestar psicológico. Reflexión sobre lo que te apasiona y te llena de alegría. Pregúntate qué contribución deseas hacer al mundo y cómo puedes utilizar tus talentos y habilidades para lograrlo. Establece metas alineadas con tu propósito y da pasos constantes hacia su realización.

Practica la gratitud: La gratitud es un poderoso antídoto contra la insatisfacción y el malestar. Cada día, tómate un momento para apreciar las bendiciones y las cosas positivas que tienes en tu vida. Mantén un diario de gratitud donde registres al menos tres cosas por las que te sientas agradecido. Esta práctica te ayudará a centrarte en lo bueno ya cultivar una actitud positiva.

Cuida tu bienestar emocional: El autocuidado emocional es esencial para mantener la satisfacción y el bienestar psicológico. Dedica tiempo a actividades que te brinde alegría y paz interior. Busca momentos de tranquilidad y relajación, ya sea a través de la meditación, la práctica de la atención plena o creativas que te gusten. Prioriza tu descanso y sueño adecuado, y busca el apoyo de personas de confianza cuando lo necesites.

Cultiva relaciones saludables: Nuestras relaciones con los demás desempeñan un papel crucial en nuestro bienestar psicológico. Busca conexiones auténticas y significativas con personas que te apoyen, te inspiren y te hagan sentir valorado. Practica la empatía y la escucha activa en tus interacciones, y cultiva relaciones basadas en el respeto mutuo y la reciprocidad.

Recuerda que el camino hacia la satisfacción y el bienestar psicológico es único para cada uno de nosotros. Permítete explorar y descubrir las prácticas y enfoques que resuenen contigo. Cultiva tu interior con amor, compasión y gratitud, y verás cómo la alegría y la serenidad se vuelven una parte integral de tu vida cotidiana.

Elevando nuestro estado de ánimo: técnicas para abrazar la felicidad

Aquí te presento prácticas técnicas que puedes aplicar para elevar tu estado de ánimo y aumentar tu felicidad en el día a día:

a) La gratitud en acción: realiza actos de bondad y generosidad hacia los demás. Puede ser tan simple como dar un cumplido sincero, ayudar a un vecino o colaborar en una causa solidaria. Al hacerlo, no solo brindarás alegría a los demás, sino que también vas a cultivar una profunda sensación de satisfacción y plenitud en tu propia vida.

b) El poder de las sonrisas: prueba sonreír con más frecuencia, incluso cuando no te sientas especialmente feliz. La sonrisa tiene el poder de desencadenar una respuesta positiva en nuestro cerebro, liberando endorfinas y creando una sensación de bienestar. Además, tu sonrisa puede contagiar a otros y crear un ambiente de alegría a tu alrededor.

c) La exploración del *flow*: encuentra actividades en las que te sumerjas por completo, donde el tiempo parece desvanecerse y te sientes totalmente absorbida. Puede ser pintar, bailar, escribir o cualquier otra actividad que te apasione. Al entrar en este estado de flujo, experimentarás una profunda satisfacción y una conexión con tu verdadero ser.

Ejercicios prácticos para abrazar la alegría en la vida cotidiana

Ahora, te invito a participar en ejercicios prácticos que te ayudarán a incorporar la alegría en tu vida diaria:

a) El diario de momentos felices: dedica unos minutos cada día para escribir en un diario los momentos de felicidad que experimentas. Puede ser una risa compartida con un ser querido, un logro personal o un momento de conexión con la naturaleza. Al registrar y revivir estos momentos, estarás entrenando tu mente para reconocer y valorar la alegría presente en tu vida.

b) La música como elevador de ánimo: crea una lista de reproducción con canciones que te hagan sentir feliz y te llenen de energía positiva. Cuando necesites un impulso, pon tu lista de reproducción y déjate llevar por el ritmo y las melodías que te llenarán de alegría. La música tiene el poder de elevar nuestro estado de ánimo y transformar nuestro día.

c) La naturaleza como fuente de inspiración: dedica tiempo a conectarte con la naturaleza. Pasea por un parque, siéntate junto a un río o disfruta del aire fresco en la montaña. Observa la belleza que te rodea, escucha los sonidos de la naturaleza y respira profundamente. La naturaleza nos brinda un refugio de paz y serenidad, y nos recuerda la maravilla de estar vivos.

Recuerda que la felicidad no es un destino final, sino un camino en el que podemos embarcarnos cada día. Al incorporar estas técnicas y ejercicios en tu vida, estarás dando pasos significativos hacia una vida más feliz y plena.

Encontrando significado y propósito

Quiero explorar contigo el poderoso viaje de encontrar significado y propósito en nuestra vida. Es una búsqueda que nos conecta con lo más profundo de nuestro ser y nos inspira a vivir de una manera más plena y auténtica.

El significado y propósito no se encuentran en lugares lejanos o en grandes logros. Están arraigados en nuestras experiencias diarias y en la forma en que elegimos vivir nuestras vidas. Algunas reflexiones que nos pueden guiar en este camino son:

Conéctate con tus valores: Reflexiona sobre los principios y creencias que son importantes para ti. ¿Qué es lo que realmente valoras en la vida? Identificar tus valores te dará una brújula interna para guiar tus decisiones y acciones.

Encuentra tus pasiones: Piensa en las actividades que te hacen sentir vivo y emocionado. ¿Qué te apasiona? Ya sea la música, el arte, la naturaleza o ayudar a los demás, encontrar tus pasiones te acerca a tu verdadero propósito.

Descubre tus fortalezas: Todos tenemos talentos y habilidades únicas. Tómate un momento para reflexionar sobre tus fortalezas y cómo puedes utilizarlas para hacer una diferencia en el mundo. Reconocer tus dones te ayuda a desplegar tu potencial y contribuir de manera significativa.

Encuentra un sentido más profundo en tus actividades diarias: A veces, podemos encontrar significado y propósito en las tareas más simples. Pregúntate cómo puedes infundir intención y atención plena en lo que haces cotidianamente. Ya sea cocinar, trabajar, interactuar con otros o cuidar de ti mismo, encontrarás mayor satisfacción al reconocer el valor intrínseco de cada momento.

Recuerda que el significado y propósito no son estáticos, sino que evolucionan con el tiempo. Permítete explorar, experimentar y ajustar tu rumbo según tus descubrimientos internos. Al abrazar este viaje de autoconocimiento y conexión, te acercarás cada vez más a una vida llena de significado y propósito.

Cada uno de nosotros tiene la capacidad de encontrar nuestro propio camino hacia la plenitud y la realización. A medida que nos adentramos en este viaje juntos, te animo a que te permitas explorar, aprender y crecer.

El significado y el propósito están esperando ser descubiertos dentro de ti, y estoy aquí para acompañarte en este maravilloso proceso de autodescubrimiento.

CAPÍTULO 6

Cuidado propio: tu viaje hacia el bienestar

Abrazando el autocuidado: un camino hacia la reducción del estrés

El autocuidado es el acto consciente de dedicar tiempo y energía a cuidarnos a nosotros mismos, tanto física como emocionalmente. Cuando nos sumergimos en el mundo del autocuidado y descubrimos cómo priorizar nuestro bienestar, podemos marcar una gran diferencia en nuestra vida diaria.

Sabemos que el estrés puede tener un impacto abrumador en nuestras vidas. Sin embargo, al incorporar prácticas de autocuidado, podemos contrarrestar sus efectos negativos y encontrar un equilibrio saludable.

El autocuidado se convierte en un faro de luz que nos guía hacia la calma, la serenidad y la renovación personal.

Nutriendo tu ser: técnicas para practicar el autocuidado y amor propio

El autocuidado y el amor propio son pilares fundamentales para nuestro bienestar. Aquí te presento algunas técnicas inspiradoras que puedes implementar en tu vida diaria:

a) Tiempo para ti: reserva momentos especiales en tu agenda para hacer las cosas que te hacen feliz. Puede ser leer un libro que te apasione, disfrutar de un baño relajante o simplemente dar un paseo en la naturaleza. Recuerda, tu tiempo es valioso y mereces consentirte.

b) Alimentación equilibrada: presta atención a lo que pone en tu plato. Prioriza una alimentación saludable y balanceada, llena de alimentos frescos y nutritivos. Además, no te olvides de hidratarte adecuadamente para mantener tu cuerpo y mente en óptimas condiciones.

c) Práctica de la gratitud: dedica unos minutos cada día para reflexionar sobre las cosas por las que te sientes agradecida. Puedes llevar un diario de gratitud donde anotes tres cosas positivas que ocurrieron en tu día. Este simple ejercicio te ayudará a cultivar una actitud de aprecio y enfocarte en lo bueno que te rodea.

Ejercicios prácticos para integrar el autocuidado en tu rutina diaria

Es hora de pasar a la acción y traer el autocuidado a tu rutina diaria. Aquí tienes algunos ejercicios prácticos que puedes implementar:

a) Respiración consciente: realiza pausas durante el día para practicar la respiración consciente. Inhala profundamente, sintiendo cómo el aire llena tus pulmones, y luego exhala lentamente, dejando ir cualquier tensión o preocupación. Esta práctica sencilla te ayudará a reducir el estrés y a conectarte con tu presente.

b) Movimiento que te llene de vitalidad: encuentra una forma de movimiento que te haga sentir bien. Puede ser yoga, baile, caminatas o cualquier actividad física que disfrute. El ejercicio no solo fortalecerá tu cuerpo, sino que también liberará endorfinas, las hormonas de la felicidad, y te brindará una sensación de empoderamiento y bienestar.

c) Autocompasión: date permiso para cometer errores y aprender de ellos. Trátate con amabilidad y comprensión, del mismo modo en que lo harías con un ser querido. El autocuidado también implica perdonarte a ti mismo cuando sea necesario y recordarte que eres suficiente tal como eres.

El autocuidado no es egoísmo, sino una inversión en tu propia felicidad y bienestar. Al priorizarte y cuidarte a ti mismo, estarás mejor equipado para enfrentar los desafíos de la vida y ofrecer tu mejor versión al mundo que te rodea.

Cultivando la serenidad interior a través del poder de la meditación

Cuando busco momentos de paz y tranquilidad en mi vida, siempre recurro a la práctica de la meditación. La meditación es una herramienta poderosa que nos permite cultivar la serenidad interior y encontrar el equilibrio en medio del caos diario. A través de la dedicación y la práctica constante, podemos un espacio interior de calma y serenidad que nos acompaña en cada paso del camino.

La meditación es mucho más que sentarse en silencio con las piernas cruzadas y los ojos cerrados. Es una oportunidad para conectarnos con nosotros mismos, para explorar nuestro mundo interior y encontrar respuestas a nuestras inquietudes más profundas. Al sumergirnos en la práctica meditativa, nos damos la libertad de dejar de lado las preocupaciones y las distracciones, y nos concentramos en el presente.

En la quietud de la meditación, encontramos un refugio donde podemos liberar el estrés y las tensiones acumuladas. Es como si estuviéramos dejando atrás el ruido del mundo exterior y nos adentráramos en un espacio sagrado de introspección y autoconocimiento. Aquí, en este rincón de serenidad, podemos nutrir nuestro ser y recargar nuestras energías.

La práctica de la meditación nos invita a estar presentes en el aquí y ahora, a observar nuestros pensamientos sin juzgarlos y a aceptar nuestras emociones tal como son. Nos ayuda a cultivar la atención plena ya desarrollar una mayor claridad mental.

A medida que nos sumergimos en la quietud interior, descubrimos que nuestros pensamientos se desvanecen lentamente, dejando espacio para una sensación de paz y conexión profunda.

Al meditar, aprendemos a escuchar el susurro de nuestra intuición, esa voz sabia y compasiva que nos guía en nuestro camino. Nos convertimos en observar nuestras experiencias internas y encontramos nuevas perspectivas y soluciones a los desafíos que enfrentamos. La meditación nos brinda la oportunidad de conocernos en un nivel más profundo y de cultivar la compasión hacia nosotros mismos y hacia los demás.

La belleza de la meditación es que no requiere habilidades especiales ni un tiempo prolongado. Puedes comenzar con solo unos minutos al día y poco a poco ir aumentando la duración de tu práctica. Encuentra un lugar tranquilo donde te sientes cómodo y adopta una postura relajada. Cierra los ojos y dirige tu atención hacia tu respiración, permitiendo que tu mente se aquiete gradualmente.

A medida que te familiarices con la meditación, puedes explorar diferentes enfoques y técnicas que se adaptan a tus necesidades. Puedes experimentar con la meditación guiada, donde un instructor te acompaña a través de visualizaciones y afirmaciones positivas. O puedes optar por la meditación silenciosa, donde te sumerges en el silencio y la quietud interior.

Recuerda que la meditación es un viaje personal y único. No hay una forma correcta o incorrecta de hacerlo. Lo importante es dedicar un tiempo para ti, para reconectarte contigo mismo y para cultivar la serenidad interior que tanto anhelas. Permítete explorar y descubrir el poder transformador de la meditación en tu vida.

Así que te invito a que te tomes unos momentos cada día para dedicarte a ti mismo, a respirar profundo ya sumergirte en la maravillosa práctica de la meditación.

Permítele a tu ser interior florecer y descubrir todo el potencial que llevas dentro. Nosotros merecemos este tiempo de cuidado y serenidad. Juntos, podemos encontrar el equilibrio y la tranquilidad que tanto anhelamos.

Explorando tus pasiones: encontrando alegría y satisfacción en lo que amas hacer

Cuando te sumerges en lo que realmente te apasiona, el mundo se ilumina de una manera especial. Encontrar esa chispa interior, ese fuego que arde en lo más profundo de tu ser, es un regalo maravilloso que te brinda la vida. Y en esta travesía de autodescubrimiento, quiero acompañarte y animarte a explorar tus pasiones, a encontrar alegría y satisfacción en lo que amas hacer.

Cada uno de nosotros posee un conjunto único de intereses, talentos y curiosidades. A veces, estos dones permanecen ocultos bajo las exigencias de la vida diaria, las expectativas externas y las responsabilidades que llevamos sobre nuestros hombros. Pero te digo que es vital permitirnos explorar y nutrir esas pasiones que nos hacen sentir vivos y plenos.

¿Recuerdas cuándo fue la última vez que te perdiste en una actividad que amas? Puede ser algo tan simple como pintar, escribir, cantar, bailar o cocinar. Cuando te dedicas a lo que realmente te apasiona, experimentas una sensación de fluidez y bienestar, como si estuvieras en armonía con el universo. Esa es la magia de seguir tus pasiones.

Es posible que te preguntes: "¿Cómo puedo descubrir mis verdaderas pasiones?" La respuesta está dentro de ti. Permítete explorar diferentes actividades, sin juzgar ni limitarte por los estándares externos. Observa qué actividades te hacen sentir emocionado, muy bien te hacen perder la noción del tiempo y muy bien despiertan tu creatividad y entusiasmo. Escucha a tu corazón y sigue los destellos de felicidad que surgen en tu camino.

A veces, nuestras pasiones pueden parecer insignificantes o poco prácticas en comparación con las expectativas sociales o profesionales. Pero quiero recordarte que tu felicidad y bienestar son valiosos. No tengas miedo de abrazar tus pasiones, incluso si no encajan en los moldes establecidos. Tú mereces vivir una vida auténtica y plena, y perseguir tus pasiones es parte fundamental de ese camino.

Al seguir tus pasiones, te das permiso para ser tú mismo en todo tu esplendor. Experimentas una sensación de propósito y significado que trasciende los desafíos y obstáculos que puedes enfrentar. Tus pasiones te nutren, te empoderan y te brindan una profunda satisfacción interior.

No importa si dedicas unas horas a la semana o si puedes hacer de tu pasión tu profesión. Lo importante es que te dediques tiempo regular para cultivar esa conexión especial con lo que amas hacer. Puede ser un momento de paz y alegría en medio del ajetreo de la vida cotidiana.

Te invito a que te des el permiso de seguir tus pasiones, de explorar ese mundo interior de creatividad y autenticidad. Juntos, descubriremos la belleza y la plenitud que proviene de vivir una vida en armonía con nuestras verdaderas pasiones. Nosotros merecemos experimentar esa alegría y satisfacción en cada paso del camino.

Así que adelante, sumérgete en lo que amas hacer. Explora tus pasiones, permite que florezcan y llévate hacia nuevas alturas de felicidad y realización. ¡El mundo está esperando a que brille con todo tu esplendor!

El arte de decir "no": estableciendo límites saludables en tu vida

En esta agitada y exigente vida moderna, a menudo nos encontramos atrapados en una colección de compromisos y demandas que nos agotan física y emocionalmente. Parece que siempre estamos diciendo "sí" a todo y a todos, dejando poco espacio para cuidar de nosotros mismos.

Pero déjame decirte algo: aprender el arte de decir "no" es un acto de amor propio y una poderosa herramienta para establecer límites saludables en nuestra vida.

A menudo, nos sentimos obligados a complacer a los demás y a cumplir con las expectativas que nos imponen. Nos preocupa decepcionar o ser juzgados si nos negamos a algo. Sin embargo, al decir "no" de manera consciente y respetuosa, nos otorgamos el permiso de cuidar de nuestras propias necesidades y prioridades.

Comprender que decir "no" no implica egoísmo, sino autenticidad y autocuidado, es liberador. Nos permite establecer límites que protejan nuestra energía, nuestra salud mental y emocional. Cuando nos negamos a asumir más de lo que podemos manejar, abrimos espacio para lo que realmente importa en nuestras vidas.

Es importante recordar que el tiempo y la energía son recursos valiosos. Cada vez que decimos "sí" a algo, estamos diciendo "no" a otras cosas que podrían ser más alineadas con nuestros propósitos y deseos personales. Al establecer límites saludables, nos damos la oportunidad de centrarnos en lo que realmente nos importa y nos hace felices.

Decir "no" no es fácil, pero tampoco es imposible. Comienza por conectarte contigo mismo y a escuchar tus necesidades y deseos más profundos. Reflexiona sobre tus prioridades y valora tu tiempo y energía. A medida que te familiarices con tus propios límites, te resultará más fácil expresarlos de manera asertiva y respetuosa.

Recuerda que no tienes que dar explicaciones detalladas cuando dices "no". Puedes ser honesto y claro, sin necesidad de disculparte. Permítete decir "no" con amabilidad y firmeza, sabiendo que estás cuidando de ti mismo de la mejor manera posible.

Al establecer límites saludables, también estamos enseñando a los demás a respetar nuestras necesidades y deseos. Nos empoderamos al afirmar nuestro valor y al demostrar que merecemos un equilibrio en nuestras vidas. Al hacerlo, inspiramos a otros a hacer lo mismo y a cultivar relaciones más auténticas y respetuosas.

Te invito a explorar el arte de decir "no" con valentía y compasión. Permítete establecer hábitos saludables que te protejan y te permitan florecer. Juntos, podemos aprender a priorizar nuestra propia felicidad y bienestar, mientras construimos relaciones más auténticas y enriquecedoras.

¡Tú mereces una vida equilibrada y llena de alegría!

El papel del sueño en el autocuidado: consejos para mejorar tu descanso nocturno

El sueño es uno de los pilares fundamentales del autocuidado y el bienestar. Durante esas horas de descanso nocturno, nuestro cuerpo y nuestra mente se renuevan, se rejuvenecen y se preparan para enfrentar un nuevo día lleno de energía y vitalidad. Es por eso que es tan importante asegurarnos de obtener un sueño de calidad. Permíteme compartir contigo algunos consejos para mejorar tu descanso nocturno y despertar cada mañana sintiéndote renovado y revitalizado.

En primer lugar, establece una rutina de sueño consistente. Intenta acostarte y levantarte a la misma hora todos los días, incluso los fines de semana. Esto ayudará a regular tu reloj interno y a establecer un patrón de sueño saludable. Además, evita la cafeína y la comida pesada antes de acostarte, ya que pueden interferir con la calidad de tu sueño.

Crea un ambiente propicio para el sueño en tu dormitorio. Mantén el lugar fresco, oscuro y silencioso. Si es necesario, utilice tapones para los oídos o una máscara para dormir. Considere también el uso de aromaterapia suave, como lavanda, para promover la relajación y la tranquilidad. Tu dormitorio debe ser tu santuario de descanso, un lugar donde puedas desconectar y rejuvenecer.

Apaga los dispositivos electrónicos al menos una hora antes de acostarte. La luz azul emitida por las pantallas puede alterar tu ritmo circadiano y dificultar el sueño. En cambio, opta por actividades relajantes como leer un libro, escuchar música suave o practicar la meditación. Estas actividades te ayudarán a desconectar y a preparar tu mente y cuerpo para un sueño reparador.

Práctica la higiene del sueño. Esto implica establecer una serie de rutinas y hábitos que promueven un descanso óptimo. Por ejemplo, evita las siestas largas durante el día, ya que pueden interferir con tu sueño nocturno. Además, asegúrese de tener un colchón y almohadas cómodas y de calidad, que le brinden el soporte adecuado para descansar plenamente.

Si te resulta difícil conciliar el sueño o si sufres de insomnio, considera la práctica de técnicas de relajación, como la respiración profunda o la visualización guiada. Estas herramientas pueden ayudarte a calmar tu mente y a prepararte para un sueño tranquilo y reparador.

Recuerda que el sueño es una parte vital de nuestro autocuidado. Es el momento en el que nuestro cuerpo se regenera y se fortalece, y nuestra mente encuentra la claridad y el equilibrio necesario. No subestimes el poder de un sueño reparador.

Así que te invito a priorizar tu descanso nocturno y a incorporar estos consejos en tu rutina diaria. Permítete el lujo de desconectar, de nutrirte con un sueño profundo y restaurador.

Juntos, podemos crear un hábito de sueño saludable que nos brinde la energía y la vitalidad necesaria para enfrentar cada día con serenidad y alegría. ¡Descansa bien y despierta al mundo con una sonrisa radiante!

Estableciendo espacios libres de tecnología para el autocuidado

En esta era digital en la que vivimos, estamos constantemente conectados a través de nuestros dispositivos tecnológicos. Si bien la tecnología nos brinda muchas ventajas y comodidades, también puede ser abrumadora y agotadora para nuestra mente y nuestro bienestar emocional.

Es por eso que es crucial establecer espacios libres de tecnología en nuestra vida diaria, para cultivar el autocuidado y encontrar equilibrio en un mundo hiperconectado.

La desconexión digital no significa renunciar por completo a la tecnología, sino más bien encontrar un equilibrio saludable entre el mundo virtual y el mundo real. Nos permite tomar un respiro de la constante estimulación digital y reconectar con nosotros mismos y con el presente.

Cuando nos desconectamos, le damos permiso a nuestra mente y nuestro cuerpo para descansar y recargarse. Nos liberamos del estrés y la ansiedad que a menudo acompañan al bombardeo constante de notificaciones, correos electrónicos y redes sociales. Nos brindamos la oportunidad de vivir en el momento presente, de disfrutar de las pequeñas cosas de la vida y de reconectar con nuestras emociones y necesidades más profundas.

Establecer espacios libres de tecnología puede parecer un desafío al principio, pero es un acto de amor propio y autocuidado que vale la pena.

Algunas ideas para comenzar

Crea momentos sagrados libres de tecnología: dedica ciertos momentos del día o de la semana para estar completamente desconectado. Puede ser una hora antes de dormir, un día a la semana o incluso un retiro de tecnología durante un fin de semana. Utiliza ese tiempo para hacer actividades que te nutran y te brinden paz, como leer un libro, pasear al aire libre, practicar yoga o simplemente estar presente en el momento.

Establece límites tecnológicos: define momentos específicos en los que te desconectarás de tus dispositivos, como durante las comidas, reuniones familiares o momentos de relajación. Apaga las notificaciones y establece límites en el uso de las redes sociales. Permítete estar completamente presente en tus interacciones y disfrutar de la compañía de los demás.

Crea un santuario libre de tecnología: designa un espacio en tu hogar donde puedas desconectar por completo. Puede ser un rincón de meditación, una sala de lectura o incluso tu dormitorio. Decora ese espacio de manera acogedora y libre de dispositivos electrónicos. Utilízalo como un lugar sagrado para relajarte, reflexionar y conectarte contigo mismo.

Recuerda que el objetivo no es alejarnos por completo de la tecnología, sino encontrar un equilibrio saludable y consciente en su uso. La desconexión digital nos permite priorizar nuestra salud mental, nuestra creatividad y nuestras relaciones.

Te animo a que te des el regalo de desconectar y establecer espacios libres de tecnología en tu vida.

CAPÍTULO 7

Afirmaciones positivas: fortaleciendo tu mentalidad transformadora

El diálogo interno: el impacto de la palabra en tu salud mental

Las afirmaciones positivas son herramientas poderosas que nos permiten reprogramar nuestra mente, liberarnos de patrones de pensamiento negativo y cultivar una mentalidad positiva y empoderadora.

Vamos a descubrir el increíble poder que las palabras tienen sobre nuestra mente y cómo podemos utilizarlas para transformar nuestra mentalidad y alcanzar todo nuestro potencial.

Imagina por un momento que tus pensamientos son semillas que siembras en el jardín de tu mente. ¿Qué tipo de semillas estás plantando? ¿Son semillas de autocrítica, duda y negatividad? O, por el contrario, ¿son semillas de confianza, amor propio y optimismo?

Nuestro diálogo interno tiene un impacto profundo en nuestra salud mental. Si constantemente nos repetimos mensajes negativos a nosotros mismos, nuestra mente los internaliza y comienza a creerlos como verdades absolutas.

Pero aquí está la buena noticia: podemos cambiar ese diálogo interno y crear un ambiente mental fértil para el crecimiento personal y la felicidad.

Afirmaciones de éxito: el arte de formular y aplicar pensamientos positivos

Formular afirmaciones de éxito y positividad es una habilidad que podemos desarrollar. Aquí te presento algunos métodos efectivos para crear y aplicar afirmaciones en tu vida diaria:

a) Sé específico y presente: formula tus afirmaciones con claridad y en el momento presente. Por ejemplo, en lugar de decir "Algún día será exitoso", di "Soy una persona exitosa y en este momento tengo el poder de crear mi propio éxito".

b) Siente la emoción: al repetir tus afirmaciones, conecta con la emoción que te generarían si ya ocurriera una realidad. Visualízate experimentando el éxito y la felicidad que deseas alcanzar. Al hacerlo, estás enviando señales poderosas a tu mente y corazón.

c) Repite y reafirma: repite tus afirmaciones diariamente, tanto en voz alta como en silencio. Puedes escribirlas en tarjetas y llevarlas contigo, colocarlas en lugares visibles o incluso grabarlas en tu teléfono para escucharlas mientras te desplazas. La repetición constante fortalecerá tus creencias y te acercará a tus metas.

Ejercicios para integrar las afirmaciones positivas en tu vida diaria

Ahora es el momento de poner en práctica las afirmaciones positivas en tu vida diaria. Aquí tienes algunos ejercicios que puedes realizar:

a) Espejo de la confianza: todos los días, frente a un espejo, mira profundamente a tus ojos y repite afirmaciones de amor propio y confianza en ti mismo: "yo soy fuerte", "yo soy abundante", "yo soy paciente", "yo soy suficiente", etc. Observa cómo tu reflejo se transforma en una persona segura y valiosa. Este ejercicio simple pero poderoso te ayudará a cultivar una autoestima sólida.

b) Mantras de empoderamiento: identifica una duradera que resuene contigo y conviértela en un mantra personal. Repítela en momentos de desafío o inseguridad para recordarte tu valía y fortaleza interior.

c) Diario de afirmaciones: escribe tus afirmaciones positivas en un diario todas las noches antes de dormir. Reflexiona sobre cómo te hicieron sentir durante el día y registra los pequeños logros que has alcanzado gracias a ellas. Este diario será una valiosa herramienta de auto-empoderamiento y crecimiento personal.

Las afirmaciones positivas tienen el poder de transformar nuestra mentalidad y elevar nuestra calidad de vida. Al integrarlas en nuestra rutina diaria, estamos construyendo una base sólida de amor propio, confianza y éxito.

¡Permítete creer en ti mismo y ser el protagonista de tu propia historia!

Afirmaciones para el autocuidado: cultivando una relación amorosa contigo mismo

Cuando se trata de autocuidado, es fundamental cultivar una relación amorosa y compasiva contigo mismo. Reconocer tu valía y brindarte el amor y el cuidado que mereces es un paso poderoso hacia la serenidad interior y el equilibrio emocional. Las afirmaciones positivas pueden ser una herramienta maravillosa para fortalecer esta relación y nutrir tu bienestar integral.

Permíteme compartir contigo algunas afirmaciones para el autocuidado que puedes incorporar en tu vida diaria. Recuerda que estas afirmaciones se basan en la premisa de que mereces amor, cuidado y respeto, y que puedes ofrecértelos a ti mismo:

"Me amo y me acepto tal como soy, con todas mis virtudes y mis imperfecciones. Soy digno de amor y respeto".

"Cuido de mi cuerpo y de mi mente con amor y gratitud. Me comprometo a mantener hábitos saludables que me nutran y fortalezcan".

"Mi bienestar emocional es una prioridad en mi vida. Me permite sentir y procesar mis emociones de manera saludable y compasiva".

"Me doy permiso para establecer límites saludables en todas las áreas de mi vida. Reconozco que decir 'no' cuando es necesario es un acto de amor propio".

"Me trato con amabilidad y compasión en cada situación. Me hablo a mí mismo con palabras de aliento y apoyo".

"El autocuidado es una inversión en mi felicidad y mi paz interior. Me doy tiempo para descansar, relajarme y rejuvenecer".

"Soy merecedor de momentos de placer y diversión. Me permito disfrutar de las cosas que me hacen feliz sin culpa ni juicio".

"Aprecio y celebro mi singularidad. Me permito ser auténtico y vivir de acuerdo con mis valores y deseos".

"Me rodeo de personas y ambientes que me apoyan y me inspiran. Elijo relaciones y entornos que nutran mi crecimiento personal".

"Me perdono a mí mismo por mis errores pasados y me permito crecer y aprender. Cada día es una oportunidad para comenzar de nuevo".

Estas afirmaciones las puedes repetir en momentos de calma y reflexión, o también, las puedes escribir en un diario de afirmaciones, como una forma de recordarte tu valía y fomentar el amor propio. Recuerda que cultivar una relación amorosa contigo mismo es un proceso continuo, y estas afirmaciones pueden ser una guía constante en tu viaje hacia el autocuidado y la serenidad interior.

Te animo a que te abraces a ti mismo con amor y aceptación, y que te recuerdes a diario que mereces el mejor cuidado que puedes ofrecerte. Eres valioso, digno de amor y mereces vivir una vida plena y auténtica. Juntos, podemos cultivar una relación de autocuidado basada en el amor y la compasión hacia nosotros mismos.

Afirmaciones para la resiliencia: fortaleciendo tu mentalidad ante los desafíos de la vida

Cuando nos enfrentamos a los desafíos de la vida, es fundamental cultivar una mentalidad resiliente. La resiliencia nos permite superar obstáculos, adaptarnos a los cambios y mantenernos fuertes ante las adversidades. Las afirmaciones positivas pueden ser una herramienta poderosa para fortalecer nuestra resiliencia y enfrentar los desafíos con confianza y determinación.

Permíteme compartir contigo algunas afirmaciones para la resiliencia que puedes integrar en tu vida diaria. Recuerda que estas afirmaciones están diseñadas para fortalecer tu mentalidad y ayudarte a encontrar fuerza en los momentos difíciles:

"Soy capaz de superar cualquier desafío que se presente en mi camino. Confío en mi capacidad para encontrar soluciones y seguir adelante".

"Cada obstáculo es una oportunidad para crecer y aprender. Estoy abierto a las lecciones que la vida me presenta".

"Soy fuerte y valiente. Mi fuerza interior me guía a través de las situaciones difíciles y me impulsa a seguir adelante".

"Mi pasado no define mi futuro. Tengo el poder de crear una vida llena de posibilidades y éxito".

"Confío en mí mismo y en mi intuición. Tengo la sabiduría necesaria para tomar decisiones acertadas y seguir el camino correcto".

"La adversidad no me derrota, me fortalece. Cada desafío que enfrento me hace más resiliente y me acerca a la versión más fuerte de mí mismo".

"La vida está llena de altibajos, pero soy capaz de adaptarme y encontrar el equilibrio en cualquier circunstancia".

"El miedo no me controla. Elijo enfrentar mis miedos con valentía y convertirlos en oportunidades de crecimiento personal".

"Confío en el proceso de la vida. Aunque las cosas no siempre salgan como planeo, sé que todo sucede por una razón y puedo encontrar significado en cada experiencia".

"Soy un imán para las oportunidades positivas. El universo conspira a mi favor y me brinda las herramientas necesarias para superar cualquier desafío".

Recuerda que la resiliencia se fortalece con la práctica constante. Repite estas afirmaciones en momentos de duda o dificultad, y permíteles recordarte tu propia capacidad para superar cualquier obstáculo. A medida que cultivamos una mentalidad resiliente, nos convertimos en seres capaces de enfrentar los desafíos con confianza y encontrar el crecimiento y el éxito en cada experiencia.

Eres más fuerte de lo que crees y estás destinado a superar cualquier obstáculo que se cruce en tu camino. Juntos, podemos cultivar una mentalidad resiliente y enfrentar los desafíos de la vida con coraje y determinación.

Cómo crear tu propio libro de afirmaciones

Crear tu propio libro de afirmaciones es una maravillosa forma de fortalecer tu mentalidad positiva y nutrir tu crecimiento personal. Al escribir y repetir afirmaciones significativas, puedes transformar tu forma de pensar y potenciar tu autoconfianza. Permíteme guiarte en este proceso para que puedas crear tu propio libro de afirmaciones personalizado y lleno de inspiración.

Encuentra un tiempo y un lugar tranquilo: busca un momento en el que puedas estar en calma y sin distracciones. Elige un espacio tranquilo donde te sientes cómodo y relajado para que puedas enfocarte intensamente en este proceso.

Reflexiona sobre tus metas y deseos: antes de comenzar a escribir tus afirmaciones, tómate un momento para reflexionar sobre tus metas, deseos y áreas de tu vida en las que deseas enfocarte. Pregúntate a ti mismo qué aspectos quieres fortalecer y qué cambios positivos deseas manifestar.

Formula afirmaciones positivas: ahora es el momento de empezar a escribir tus afirmaciones. Recuerda que deben ser positivos, en tiempo presente y formulados en primera persona. Por ejemplo, en lugar de decir "Quiero ser feliz", puedes decir "Soy merecedor de la felicidad y la atraigo hacia mi vida". Sé específico y enfócate en los aspectos que deseas cambiar o mejorar.

Sé auténtico y conecta con tus emociones: a medida que escribas tus afirmaciones, es importante que sean auténticas y que resuenen contigo a nivel emocional. Conéctate con tus deseos más profundos y exprésalos en palabras que te inspiren y motiven.

Organiza tu libro de afirmaciones: puedes organizar tus afirmaciones de la forma que prefieras. Puedes agruparlas por categorías como amor propio, éxito, salud, relaciones, etc. También puedes elegir un orden específico que tenga sentido para ti. Recuerda que este libro es personal y debe reflejar tus necesidades y preferencias.

Repite tus afirmaciones diariamente: una vez que hayas creado tu libro de afirmaciones, es hora de ponerlo en práctica. Dedica un tiempo cada día para leer en voz alta tus afirmaciones. Puedes hacerlo en la mañana para comenzar el día con una mentalidad positiva, o antes de dormir para establecer una intención poderosa antes de descansar.

Siéntete libre de adaptar y actualizar tus afirmaciones: a medida que avanzas en tu viaje personal, es natural que tus metas y deseos evolucionen. Si siente la necesidad de ajustar o agregar nuevas afirmaciones, siéntete libre de hacerlo. Tu libro de afirmaciones es un reflejo de tu crecimiento y cambio constante.

Recuerda que el poder de las afirmaciones radica en la repetición constante y en creer en su verdad. A medida que te sumerjas en el proceso de crear y leer tus afirmaciones, tu mentalidad se fortalecerá y cómo te acercas más a la vida que deseas. Disfruta de este proceso creativo y confía en el poder transformador de tus propias palabras.

Juntos, podemos crear una vida llena de positividad, crecimiento y bienestar. ¡Adelante, comienza a escribir tu propio libro de afirmaciones y desatar todo tu potencial!

CAPÍTULO 8

Terapia cognitiva conductual (TCC): navegando tus pensamientos y emociones

Entendiendo la TCC: el poder de la transformación personal

La Terapia cognitiva conductual es una forma de terapia psicológica basada en la premisa de que nuestros pensamientos influyen en nuestras emociones y comportamientos.

Esta terapia nos ayuda a identificar patrones de pensamientos negativos y disfuncionales, y los reemplaza por pensamientos más realistas y constructivos. Al hacerlo, podemos reducir el estrés, mejorar nuestra autoestima y fortalecer nuestra resiliencia emocional.

Herramientas para navegar tus pensamientos: transformando lo negativo en positivo

La TCC nos brinda una variedad de técnicas prácticas para comprender y modificar nuestros patrones de pensamientos negativos. Aquí te presento algunas de ellas:

a) Desafío de pensamientos: examina de cerca esos pensamientos negativos automáticos que surgen en tu mente. Cuestiona su validez y busca pruebas que respalden o refuten esas creencias. Por ejemplo, si tienes el pensamiento "Nunca puedo hacer nada bien", busca evidencias de momentos en los que hayas tenido éxito y lo hayas hecho bien.

b) Reestructuración cognitiva: una vez identificados los patrones de pensamiento negativo, reemplázalos por pensamientos más realistas y positivos. Por ejemplo, si tienes el pensamiento "Siempre cometo errores", puedes reemplazarlo por "Cometer errores es parte del aprendizaje y puedo aprender y crecer a partir de ellos".

c) Atención plena: practica la atención plena para estar consciente del momento presente sin juzgar. Esto te permite observar tus pensamientos y emociones sin identificarte con ellos. Al hacerlo, vas a desarrollar una mayor claridad mental y la capacidad de responder de manera más consciente y tranquila.

Ejercicios prácticos para aplicar la TCC en tu vida cotidiana

Ahora es el momento de poner en práctica estas técnicas de la TCC en tu vida diaria. Aquí tienes algunos ejercicios que puedes realizar:

a) Registro de pensamientos: lleva un registro de tus pensamientos negativos automáticos durante el día. Anota el pensamiento, la situación desencadenante y las emociones asociadas. Luego, utiliza las técnicas de desafío y formación cognitiva para transformar esos pensamientos negativos en pensamientos más positivos y realistas.

b) Diario de gratitud: cada noche, escribe tres cosas por las cuales estás agradecido. Esto te ayudará a entrenar tu mente para enfocarse en lo positivo y desarrollar una actitud de gratitud en tu vida.

¡Eres capaz de transformar tu vida y alcanzar la plenitud que mereces!

Técnicas de reestructuración cognitiva: transformando patrones de pensamiento negativos

Todos hemos experimentado momentos en los que nuestros pensamientos se vuelven oscuros y pesimistas. Esos patrones de pensamientos negativos pueden afectar nuestra autoestima, nuestras relaciones y nuestra perspectiva de la vida en general. Pero la buena noticia es que no tenemos que quedarnos atrapados en esos patrones. Podemos aprender a desafiarlos y reemplazarlos con pensamientos más positivos y realistas.

La reconstrucción cognitiva es una herramienta poderosa que nos permite examinar y cuestionar los pensamientos negativos automáticos que surgen en nuestra mente. Nos ayuda a identificar las distorsiones cognitivas, esas formas de pensar sesgadas que nos llevan a conclusiones negativas y poco realistas sobre nosotros mismos y el mundo que nos rodea.

Hay diversas técnicas de construcción cognitiva que te permiten desafiar y cambiar esos patrones de pensamiento negativo. Estas técnicas te ayudarán a construir una mentalidad más positiva, realista y compasiva hacia ti mismo y hacia los demás.

Lo primero que debemos hacer es aprender a identificar los pensamientos negativos automáticos, este es un paso crucial en el proceso de construcción cognitiva. Estos pensamientos son aquellos que surgen de forma rápida y automática en nuestra mente, a menudo sin que nos demos cuenta, algunas estrategias que puedes emplear para reconocer e identificar estos pensamientos negativos son:

Presta atención a tus emociones: los pensamientos negativos automáticos generalmente van acompañados de emociones negativas como tristeza, ansiedad o enojo. Si te sientes mal emocionalmente, distensión y observa qué pensamientos están pasando por tu mente en ese momento.

Sé consciente de los patrones recurrentes: a lo largo del día, observa si hay algún pensamiento negativo que se repite con frecuencia. Puede ser una autocrítica constante, la anticipación de resultados negativos o el temor al fracaso. Estos patrones son indicadores de pensamientos automáticos negativos.

Observa las generalizaciones y las palabras extremas: los pensamientos negativos automáticos tienden a ser absolutos y exagerados. Palabras como "siempre", "nunca", "todo" o "nadie" son señales de que estás frente a un pensamiento negativo automático. Por ejemplo, pensar "Nunca logro nada bien" o "Siempre me equivoco".

Escucha tu diálogo interno: presta atención a cómo te hablas a ti mismo en situaciones desafiantes o estresantes. Si encuentras que tus pensamientos son autocríticos, pesimistas o desalentadores, es probable que estés enfrentando pensamientos negativos automáticos.

Registra tus pensamientos: llevar un diario de pensamientos puede ser útil para identificar los patrones de pensamiento negativo. Anota los pensamientos que surgen en diferentes situaciones y cómo te hacen sentir. Esto te ayudará a detectar los pensamientos negativos automáticos y a examinarlos con mayor claridad.

Recuerda que el objetivo no es juzgar o criticar tus pensamientos, sino simplemente ser consciente de ellos. Una vez que identifiques los pensamientos negativos automáticos, podrás cuestionar su veracidad y reemplazarlos por pensamientos más realistas y positivos. Es un proceso gradual, pero con práctica y perseverancia, puedes transformar tu forma de pensar y cultivar una mentalidad más saludable y constructiva.

Cuando te encuentres frente a pensamientos negativos automáticos, es importante cuestionar su veracidad y buscar evidencias que respalden o contradigan esas creencias. Algunas estrategias que me han servido en estos casos también te pueden ayudar:

Examina las pruebas: pregúntate a ti mismo si hay pruebas concretas que respalden tu pensamiento negativo automático. ¿Hay hechos o eventos específicos que demuestren que tu pensamiento es cierto? Si no puedes encontrar pruebas sólidas, es posible que tu pensamiento esté distorsionado.

Busca perspectivas alternativas: intenta encontrar diferentes formas de ver la situación. ¿Existen otras interpretaciones posibles que no sean tan negativas? Considera diferentes puntos de vista y pregúntate si hay evidencias de que respalden esas perspectivas alternativas.

Analiza experiencias pasadas: reflexiona sobre situaciones similares en el pasado. ¿Existen ejemplos que contradigan tu pensamiento negativo automático? Recuerda momentos en los que hayas tenido éxito o en los que las cosas no hayan resultado tan mal como temías. Utiliza esas experiencias como evidencia de que tus pensamientos negativos automáticos no pueden ser completamente precisos.

Evalúa la lógica de tus pensamientos: examina la lógica detrás de tus pensamientos negativos automáticos. ¿Tiene sentido tu razonamiento? ¿Estás aplicando un doble estándar o exagerando la importancia de ciertos aspectos? Trata de ser objetivo y analiza si tus pensamientos son coherentes y realistas.

Pide retroalimentación a otras personas de confianza: a veces, podemos perder la objetividad al analizar nuestros propios pensamientos. Busca la opinión de amigos cercanos o seres queridos en quienes confíes. Ellos pueden proporcionarte una perspectiva más equilibrada y ayudarte a evaluar la veracidad de tus pensamientos negativos automáticos.

Desarrolla afirmaciones positivas y realistas: crea afirmaciones positivas que contrarresten tus pensamientos negativos automáticos. Por ejemplo, si tu pensamiento negativo es "Soy un fracaso", reemplázalo por "Estoy aprendiendo y creciendo en cada experiencia". Utiliza afirmaciones que te impulsan, te motivan y te recuerdan tus fortalezas y capacidades.

Practica la autorreflexión y la gratitud: tómate un tiempo para reflexionar sobre tus logros, fortalezas y cosas positivas en tu vida. Practica la gratitud y enfócate en las cosas buenas que te rodean. Esto te ayudará a cambiar tu perspectiva hacia una más positiva y realista.

Practica la atención plena y el autocuidado: La atención plena te ayuda a estar presente en el momento actual ya observar tus pensamientos sin juzgarlos. Además, cuidar de ti mismo física y emocionalmente contribuirá a un estado mental más positivo y saludable.

Recuerda que cuestionar tus pensamientos negativos automáticos requiere práctica y paciencia. No se trata de negar tus emociones, sino de analizar y desafiar pensamientos que pueden estar distorsionados o exagerados.

A medida que practiques esta habilidad, te será más fácil encontrar evidencias que respalden pensamientos más realistas y constructivos. Sé amable contigo mismo durante este proceso y celebra cada pequeño avance que logres. Con la práctica constante, podrás cultivar una mentalidad más realista y positiva.

Ahora bien, en este momento te puedes estar preguntando: ¿qué técnicas me pueden ayudar a reemplazar los pensamientos negativos automáticos por pensamientos más realistas y positivos?

Hay varias técnicas específicas para esto, como la técnica del pensamiento alternativo, en la que aprenderás a reemplazar los pensamientos negativos por pensamientos más realistas y positivos; la técnica del autorreforzamiento, que consiste en reconocer y celebrar tus logros y fortalezas para fortalecer tu autoconfianza y autoestima; la técnica de la perspectiva externa, que te ayudará a examinar los pensamientos negativos desde una perspectiva objetiva y más compasiva.

Recuerda que cada persona es diferente, por lo que es importante encontrar las técnicas que funcionan mejor para ti. Puedes probar diferentes enfoques y adaptarlos a tus necesidades y preferencias. La clave está en la práctica constante y la paciencia contigo mismo para lograr un cambio positivo en tus patrones de pensamiento.

Aprendiendo a manejar tus emociones: regulación emocional a través de la TCC

Las emociones son una parte natural de nuestra experiencia humana. A veces, pueden ser intensas y abrumadoras, lo que puede dificultar nuestra capacidad para funcionar de manera efectiva en nuestra vida diaria. Sin embargo, mediante la Terapia Cognitivo-Conductual (TCC), podemos aprender a manejarlas y regularlas de manera saludable.

Esto se puede lograr gracias a estrategias y técnicas efectivas para la regulación emocional, que nos permitirán encontrar serenidad y equilibrio en nuestras vidas, puedo mencionar brevemente algunas de ellas:

Reconocer y etiquetar las emociones: el primer paso en la regulación emocional es ser consciente de nuestras emociones. Aprender a identificar y etiquetar nuestras emociones nos permite entender lo que estamos experimentando. Podemos utilizar palabras como "tristeza", "ira" o "alegría" para describir cómo nos sentimos. Al reconocer nuestras emociones, podemos comenzar a trabajar en su manejo.

Practicar la atención plena: la atención plena nos ayuda a estar presentes en el momento ya nuestras emociones aceptar sin juzgarlas. Al practicar la atención plena, nos conectamos con nuestras emociones sin dejar que nos arrastren. Podemos utilizar técnicas como la respiración consciente, la meditación o la observación de nuestros pensamientos y sentimientos para cultivar la atención plena.

Desafiar pensamientos y creencias negativas: nuestros pensamientos pueden influir en nuestras emociones. La TCC nos enseña a cuestionar y reemplazar pensamientos negativos o distorsionados que pueden estar contribuyendo a nuestras emociones negativas. Al desafiar estas creencias limitantes, podemos cambiar nuestra perspectiva y experimentar emociones más equilibradas.

Desarrollar habilidades de resolución de problemas: muchas veces, nuestras emociones intensas están relacionadas con situaciones desafiantes en vidas. A través de la TCC, podemos aprender habilidades de resolución de problemas para abordar estas situaciones de manera efectiva. Esto implica identificar los desafíos, generar opciones de solución y tomar acciones concretas para resolver problemas y reducir el estrés emocional.

Cultivar el autocuidado: el autocuidado juega un papel crucial en la regulación emocional. Es importante dedicar tiempo y atención a nuestras necesidades físicas, emocionales y mentales. Esto puede incluir actividades como hacer ejercicio regularmente, mantener una alimentación saludable, dormir lo suficiente, practicar hobbies que nos gusten y nos rodeen de relaciones positivas y de apoyo.

Recuerda que la regulación emocional es un proceso gradual y requiere práctica. Cada persona es única, por lo que es importante encontrar las estrategias que funcionan mejor para ti. A través de la TCC, podemos aprender a manejar nuestras emociones de manera saludable y cultivar una vida emocional equilibrada y satisfactoria..

Desafiando los sesgos cognitivos: ampliando tu perspectiva y flexibilidad mental

En nuestro camino hacia el equilibrio y la tranquilidad, es fundamental explorar y desafiar los sesgos cognitivos que pueden limitar nuestra forma de pensar y percibir el mundo. Estos sesgos son patrones automáticos de pensamiento que nos llevan a interpretar la realidad de manera distorsionada. Sin embargo, a través de la Terapia Cognitivo-Conductual (TCC), podemos ampliar nuestra perspectiva y desarrollar una mayor flexibilidad mental.

Conciencia de los sesgos cognitivos: el primer paso para desafiar los sesgos cognitivos es reconocer su existencia. La autocrítica constructiva nos permite observar nuestros patrones de pensamiento y detectar posibles distorsiones. Al ser conscientes de estos sesgos, podemos tomar medidas para contrarrestar su influencia en nuestra forma de percibir la realidad.

Cuestionamiento de las interpretaciones automáticas: los sesgos cognitivos suelen conducir a interpretaciones automáticas y precipitadas de los eventos. Es fundamental cuestionar estas interpretaciones y considerar otras perspectivas posibles. Pregúntate a ti mismo: "¿hay alguna otra forma de ver esta situación?", "¿cuál es la evidencia que respalda mi interpretación?" y "¿existen alternativas que no estoy considerando?".

Ejemplo: Imagina que has tenido una mala experiencia en una entrevista de trabajo y automáticamente piensas: "Soy un fracaso y nunca conseguiré un buen trabajo". Al desafiar esta interpretación automática, podría considerar otros factores que podrían haber influido en la entrevista, como los nervios o la falta de experiencia específica. Esto te permite adoptar una perspectiva más equilibrada y realista.

Prueba de evidencias: los sesgos cognitivos a menudo se basan en suposiciones infundadas o generalizaciones. Para contrarrestarlos, es útil buscar evidencias que respalden o contradigan nuestros pensamientos automáticos. Examina las experiencias pasadas, busca ejemplos concretos y analiza si tus creencias están fundamentadas en hechos reales o simplemente en percepciones distorsionadas.

Ejemplo: si tienes la creencia automática de "Nadie me aprecia", podrías buscar evidencias que respalden o contradigan esta creencia. Podrías recordar momentos en los que tus amigos o seres queridos te han expresado su agradecimiento o te han elogiado. Estas evidencias te ayudarán a desafiar la creencia automática ya reconocer que sí eres valorado por los demás.

Exploración de diferentes perspectivas: los sesgos cognitivos nos llevan a ver el mundo desde una única perspectiva limitada. Para ampliar nuestra visión, es importante considerar diferentes puntos de vista y abrirnos a nuevas interpretaciones de los eventos. Esto nos permite ganar flexibilidad mental y desarrollar una comprensión más completa de las situaciones.

Ejemplo: si tienes la tendencia a la polarización (ver las cosas en términos de blanco o negro, todo o nada), intenta considerar las diferentes gradaciones y matices que pueden existir en una situación. Pregúntate: "¿Existen posibles puntos intermedios?", "¿Cómo podría esta situación ser vista desde la perspectiva de los demás?".

Al desafiar los sesgos cognitivos y expandir nuestra forma de pensar, podemos liberarnos de las limitaciones que nos imponen. La TCC nos brinda las herramientas necesarias para explorar nuevos horizontes mentales y experimentar una realidad más rica y enriquecedora.

Recuerda que este proceso requiere práctica y paciencia, pero los beneficios serán significativos en tu camino hacia la serenidad interior y el equilibrio emocional.

CAPÍTULO 9

Energía en movimiento: un vínculo vital entre la salud física y mental

El poder transformador del ejercicio: un impulso para la salud mental

Permíteme compartir contigo un poderoso secreto: el ejercicio físico no solo fortalece nuestros músculos, sino también nuestra salud mental. Cuando nos movemos, liberamos endorfinas, las hormonas de la felicidad, que nos llenan de energía y nos hacen sentir bien.

Además, el ejercicio regular ha demostrado reducir el estrés, la ansiedad y la depresión, mientras mejora nuestra autoestima y nuestra capacidad para afrontar los desafíos diarios.

Despertando al guerrero interior: estrategias para integrar el movimiento en tu rutina diaria

¿Listo para dar el primer paso hacia una vida activa y vibrante? Aquí tienes algunas técnicas que te ayudarán a incorporar el movimiento de manera divertida y gratificante:

a) Encuentra tu pasión: descubre una actividad física que te apasione. Puede ser bailar, caminar en la naturaleza, practicar yoga o jugar un deporte. Al elegir algo que disfrutes, te motivarás y estarás animado a participar en ello periódicamente.

b) Rompe la rutina: varía tus rutinas de ejercicio para evitar el aburrimiento y mantener la motivación. Prueba nuevas clases de fitness, desafíos de entrenamiento en casa o actividades al aire libre. La diversidad traerá un nuevo nivel de emoción y entusiasmo a tu vida activa.

c) Camina en cada oportunidad: aprovecha cada oportunidad para caminar más en tu vida diaria. Estaciona tu auto más lejos, usa las escaleras en lugar del ascensor y da paseos cortos durante tus descansos. El simple acto de caminar puede tener un impacto positivo en tu salud física y mental.

Ejercicios prácticos para mantenerte activo y reducir el estrés

¡Es hora de levantarse y moverse!
Aquí tienes algunos ejercicios prácticos que puedes incorporar en tu rutina:

a) Entrenamiento de intervalos: alterna entre ráfagas de alta intensidad y períodos de descanso. Puedes hacerlo corriendo, saltando la cuerda o usando una bicicleta estática. Este tipo de entrenamiento aumenta tu resistencia, quema calorías y mejora tu estado de ánimo.

b) Yoga de la mañana: dedica unos minutos cada mañana para practicar una breve secuencia de yoga. Estira tu cuerpo, respira profundamente y conecta con tu interior. Esta suave práctica te ayudará a comenzar el día con calma y claridad mental.

c) Baile como terapia: pon tu música favorita y déjate llevar por el ritmo. Bailar no solo es divertido, sino que también libera tensiones y te conecta con tu expresión más auténtica. ¡No te preocupes por los pasos perfectos, simplemente disfruta el movimiento!

No se trata de buscar la perfección en tu ejercicio, sino de encontrar una actividad que te haga sentir bien y te mantenga activo. ¡Escucha a tu cuerpo y diviértete mientras te mueves!

d) Sal a caminar: si no tienes equipo, salir a caminar puede ser la opción más adecuada para ti. Una vez hayas calentado tras cinco minutos andando, aumenta la velocidad hasta llegar al 90-100% de tu capacidad durante un minuto, casi como si corrieras. Después, tras ese minuto, sigue andando pero reduce la velocidad hasta aproximadamente el 60% de tu capacidad durante uno o dos minutos. Repite este proceso de 5 a 10 veces durante el paseo y conseguirás beneficios y resultados muy positivos.

Explorando actividades relajantes: otras alternativas para reducir el estrés

Las siguientes son otras opciones que pueden ayudarte a mantenerte alejado del estrés ¡Anímate! Intenta practicar algunas de ellas, diviértete y libérate del estrés:

Natación: sumergirse en el agua y nadar puede ser una actividad relajante que combina ejercicio físico con una sensación de calma y tranquilidad.

Tai Chi: esta antigua práctica china combina movimientos suaves y fluidos con técnicas de respiración profunda y meditación. El Tai Chi es conocido por su capacidad para reducir el estrés y promover la relajación.

Senderismo: conectar con la naturaleza a través de caminatas al aire libre puede tener un efecto calmante en la mente y el cuerpo. Explorar senderos naturales y respirar aire fresco puede ayudarte a liberar el estrés acumulado.

Pilates: esta disciplina se centra en fortalecer los músculos, mejorar la postura y promover la conciencia corporal. Los movimientos controlados y la atención en la respiración pueden contribuir a reducir el estrés y aumentar la relajación.

Artes marciales: practicar artes marciales como el karate, taekwondo o judo no solo mejora la condición física, sino que también fomenta la concentración, el autocontrol y la liberación de tensiones acumuladas.

Jardinería: cuidar de un jardín o plantar flores en macetas puede ser una actividad terapéutica que te conecta con la naturaleza y te permite disfrutar de un tiempo tranquilo al aire libre.

Recuerda que cada persona es diferente y puede encontrar alivio del estrés en actividades distintas. Lo importante es encontrar lo que funciona mejor para ti y disfrutar de las actividades que te permiten mantener un equilibrio mental y físico.

Actividades para el bienestar mental: opciones no físicas para reducir el estrés

En nuestra búsqueda constante por encontrar el equilibrio y la tranquilidad, es esencial recordar que no todas las actividades para combatir el estrés tienen que ser físicas. Además de cuidar nuestro cuerpo, también debemos cuidar nuestra mente y emociones.

Aquí te presento algunas opciones no físicas que pueden ser de gran ayuda para reducir el estrés y cultivar nuestro bienestar mental.

Meditación y *Mindfulness*: la práctica de la meditación y el *mindfulness* nos invita a estar presente en el momento actual, a observar nuestros pensamientos y emociones sin juzgarlos. Dedica unos minutos al día para sentarte en un lugar tranquilo, cerrar los ojos y enfocarte en tu respiración. Observa cómo tus pensamientos vienen y van, sin aferrarte a ellos. Esta práctica te ayudará a calmar tu mente y reducir el estrés.

Escritura terapéutica: tomar un momento para escribir tus pensamientos y emociones puede ser una excelente manera de desahogarte y procesar tus experiencias. Mantén un diario personal donde puedas expresar libremente tus pensamientos, reflexiones y preocupaciones. También puedes explorar técnicas de escritura creativa, como escribir poesía o historias cortas, para liberar tu creatividad y encontrar una vía de escape del estrés.

Terapia de arte: el arte es una poderosa herramienta para expresar y explorar tus emociones. Puedes probar diferentes formas de expresión artística, como pintura, dibujo, collage o incluso modelado con arcilla. No importa si eres un experto o un principiante, lo importante es dejarte llevar por la creatividad y disfrutar del proceso. El arte te permitirá liberar tensiones y encontrar un espacio de calma y autodescubrimiento.

Lectura inspiradora: sumergirte en un buen libro puede transportarte a otros mundos y brindarte inspiración y consuelo. Elige libros que aborden temas que te interesen y que te inspiren a crecer y desarrollarte personalmente. Ya sea que optes por novelas, ensayos o libros de autoayuda, la lectura puede ser una forma maravillosa de desconectar de las preocupaciones diarias y sumergirte en historias y conocimientos que nutren tu mente.

Escuchar música relajante: la música tiene el poder de influir en nuestro estado de ánimo y relajar nuestra mente. Busca melodías suaves y relajantes que te transmitan paz y tranquilidad. Dedica un tiempo para escuchar música en un entorno tranquilo, sin distracciones, y permítete disfrutar de los sonidos que acarician tus sentidos y te ayudan a reducir el estrés.

Recuerda que estas actividades son complementarias a las prácticas físicas que promueven el bienestar. Incorporar estas opciones en tu rutina diaria te permitirá encontrar un equilibrio entre cuerpo y mente, y te ayudará a reducir el estrés de manera integral. Experimenta con estas actividades y descubre que funcionan mejor para ti.

¡Estoy segura de que encontrarás un gran alivio y bienestar en ellas!

CAPÍTULO 10

Alimentación consciente: nutrir cuerpo y mente para una vida plena

El poder de los alimentos: nutriendo nuestra salud mental

Permíteme compartir contigo un secreto: los alimentos que elegimos pueden ser un combustible poderoso para nuestra salud mental.

Una dieta equilibrada y nutritiva no solo fortalece nuestro cuerpo, sino que también influye en nuestros procesos cognitivos y emocionales.

Alimentarnos adecuadamente puede mejorar nuestro estado de ánimo, aumentar nuestra concentración y brindarnos una mayor sensación de bienestar en general.

Sabores de sanación: estrategias para una alimentación saludable y consciente

¡Es hora de descubrir el placer de comer de manera consciente y saludable!

Aquí tienes algunas técnicas que te ayudarán a mejorar tu alimentación y reducir el estrés:

a) Platos coloridos: añade una variedad de colores a tu plato incorporando frutas y verduras de diferentes tonalidades. Cada color representa una gama única de nutrientes y antioxidantes que promueven una mente y un cuerpo saludable. ¡Imagina un arcoíris en tu plato!

b) Hidratación amorosa: mantén tu cuerpo hidratado con agua fresca y sabrosas infusiones de hierbas. El agua es esencial para un funcionamiento óptimo de tu cerebro y cuerpo. Además, trata de reducir el consumo de bebidas azucaradas y refrescos que pueden afectar negativamente tu estado de ánimo y energía.

c) **Equilibrio nutricional**: busca una combinación equilibrada de proteínas, carbohidratos saludables y grasas saludables en cada comida. Esto te ayudará a mantener un nivel estable de energía a lo largo del día y promoverá un estado de ánimo positivo y una mente clara.

Ejercicios prácticos para adoptar hábitos alimentarios saludables

¡Es el momento de poner en práctica una alimentación consciente y nutritiva!

Aquí tienes algunos ejercicios prácticos que puedes incorporar en tu vida diaria:

a) **Registro alimentario:** mantén un registro de tus comidas y bocadillos durante una semana. Esto te ayudará a tomar conciencia de tus elecciones alimenticias y a identificar patrones que puedas ajustar para mejorar tu bienestar general.

b) **Comidas sin prisas:** dedica tiempo para disfrutar de cada bocado. Evita comer apresuradamente o distraído. Saborea los sabores y las texturas de los alimentos. Esto te ayudará a sentirte más satisfecho y a desarrollar una relación más consciente con la comida.

c) **Planificación inteligente:** dedica un tiempo semanal para planificar tus comidas y hacer una lista de compras saludables. Tener opciones disponibles te permitirá tomar decisiones más informadas y evitar caer en tentaciones menos saludables.

La alimentación consciente es un acto de amor hacia ti mismo.

d) Escucha a tu cuerpo: cuando te sientas pesado, cansado, hinchado o notes que te cuesta ir al baño más de lo normal, anota lo que comiste horas antes. El cuerpo nos da un aviso en forma de síntomas para que sepamos que alimentos nos hacen bien y cuales no encuentra el equilibrio y elige alimentos que te nutran tanto física como mentalmente.

Descubriendo los superalimentos: potenciadores de la salud mental

Los superalimentos tienen poder para potenciar nuestra salud mental. Hay un selecto grupo de alimentos que han sido reconocidos por sus beneficios excepcionales para el bienestar emocional y cognitivo. No dudes en incorporarlos en tu dieta diaria para nutrir tu mente y cuerpo de manera óptima.

El poder del cacao: sumérgete en el sabor delicioso y reconfortante del chocolate oscuro. Descubrirás cómo el cacao, rico en antioxidantes y compuestos estimulantes del estado de ánimo, puede elevar tus niveles de serotonina y endorfinas, brindándote una sensación de felicidad y bienestar.

Las maravillas del aguacate: aprende sobre las bondades del aguacate, una fruta versátil y deliciosa. Descubrirás que su alto contenido de grasas saludables, vitamina E y nutrientes esenciales promueven la salud cerebral y contribuyen a la estabilidad emocional.

El poder verde de las algas: sumérgete en el mundo de las algas marinas, ricas en nutrientes esenciales como el yodo, el cual es fundamental para el correcto funcionamiento de la glándula tiroides y el equilibrio hormonal. Descubre cómo estas joyas del mar pueden brindarte una sensación de calma y claridad mental.

La brillantez de las bayas: explora el colorido y jugoso universo de las bayas, como las moras, fresas y arándanos. Estas pequeñas delicias están cargadas de antioxidantes que protegen tu cerebro del estrés oxidativo y mejoran la función cognitiva.

El tesoro de los frutos secos: adéntrate en el mundo de los frutos secos, como las nueces, almendras y avellanas. Descubrirás cómo estos pequeños tesoros están repletos de ácidos grasos omega-3, vitamina E y magnesio, nutrientes clave para promover la salud mental y el equilibrio emocional.

El esplendor del té verde: disfruta de un reconfortante y revitalizante viaje a través de las propiedades del té verde. Descubrirás cómo sus antioxidantes y compuestos únicos, como la L-teanina, pueden mejorar tu estado de ánimo, aumentar la concentración y reducir el estrés.

La fantasía de los alimentos fermentados: explora la fascinante dimensión de los alimentos fermentados, como el chucrut, el kimchi, el kéfir y el yogur natural. Estos alimentos promueven la salud intestinal, conocidos como nuestro "segundo cerebro", y están vinculados a la salud mental y emocional.

Descubriendo los superalimentos, nos adentramos en un mundo lleno de sabores, texturas y beneficios asombrosos para nuestra salud mental. Te invito a explorar y experimentar con estos alimentos, incorporándolos en tu alimentación de manera creativa y disfrutando de los increíbles beneficios que brindan a tu bienestar emocional y cognitiva.

La importancia de la hidratación: agua para nutrir cuerpo y mente

Ahora te quiero hablar de algo que a veces pasamos por alto, pero que es esencial para nuestro bienestar: la hidratación. El agua es mucho más que una simple bebida refrescante, es un elemento vital para nutrir nuestro cuerpo y nuestra mente. Así que, siéntate, relájate y descubre cómo el poder del agua puede transformar tu vida.

Comenzamos recordando que nuestro cuerpo está compuesto en su mayoría por agua. Es el líquido vital que nos mantiene en funcionamiento, ayudando a transportar nutrientes, regular la temperatura corporal y eliminar tóxicos. Al beber suficiente agua, nos aseguramos de mantener un equilibrio interno y un estado de salud óptimo.

¿Sabías que la falta de hidratación puede afectar tu capacidad cognitiva? Cuando no bebemos suficiente agua, nuestro cerebro puede experimentar niebla mental, falta de concentración y disminución de la claridad mental. Al mantenernos hidratados, estamos proporcionando a nuestro cerebro el líquido que necesita para funcionar de manera óptima, lo que se traduce en mayor enfoque y rendimiento mental.

No solo nuestro cuerpo se beneficia de la hidratación, sino también nuestras emociones. Cuando estamos deshidratados, es más probable que nos sintamos irritables, ansiosos o cansados.

Beber agua en abundancia nos ayuda a mantener un equilibrio emocional, mejorando nuestro estado de ánimo y ayudándonos a enfrentar el estrés de manera más efectiva.

¡El agua también es un elixir de belleza! La hidratación adecuada es fundamental para tener una piel radiante y saludable. El agua ayuda a mantener la elasticidad de la piel, previene la sequedad y promueve una apariencia fresca y juvenil. Así que, si deseas lucir un cutis envidiable, asegúrate de beber suficiente agua todos los días.

Ahora que sabemos la importancia de la hidratación, ¿cómo la puedes incorporar en tu vida diaria? Aquí te comparto algunos consejos prácticos que me han ayudado mucho a mantenerme siempre bien hidratada:

Lleva siempre contigo una botella de agua reutilizable. Así tendrás acceso a agua fresca en cualquier momento y lugar.

Establece recordatorios para beber agua periódicamente a lo largo del día. Puedes utilizar aplicaciones móviles o simplemente configurar alarmas en tu teléfono.

Añade un toque de sabor a tu agua con rodajas de limón, pepino o menta. Esto hará que beber agua sea más placentero y refrescante.

¡No esperes a tener sed! La sed es un signo de deshidratación, así que procura beber agua antes de sentir sed.

Recuerda que cada vez que bebes agua, estás nutriendo tu cuerpo y mente de manera profunda. ¡No subestimes el poder transformador de la hidratación!

Mantén tu botella de agua cerca y regálate el regalo de una hidratación consciente y constante. ¡Estarás revitalizado y enérgico, listo para enfrentar cualquier desafío que la vida te presente!

Así que, ¡brindemos por una vida plena y bien hidratada! ¡Salud!

Alimentos probióticos: beneficios para la salud mental y digestiva

Los alimentos probióticos son una fuente de beneficios para nuestra salud mental y digestiva. Comenzamos por comprender qué son los probióticos. Estos son microorganismos vivos, como las bacterias y las levaduras que, cuando se consumen en cantidades adecuadas, tienen un impacto positivo en nuestra salud, ya que actúan como pequeños guerreros dentro de nuestro sistema digestivo, ayudando a mantener un equilibrio saludable de bacterias beneficiosas.

Nuestro sistema digestivo es mucho más que un procesador de alimentos. Está vinculado a nuestro bienestar mental y emocional. Los probióticos tienen la capacidad de mejorar la digestión, ayudando a descomponer los alimentos y facilitando la absorción de nutrientes esenciales. Una digestión feliz nos permite sentirnos ligeros, enérgicos y libres de molestias.

Existe una conexión sorprendente entre nuestro intestino y nuestro cerebro, conocida como el eje intestino-cerebro. Los probióticos desempeñan un papel crucial en esta relación, ya que influyen en la producción de neurotransmisores, tales como la serotonina, que desempeñan un papel fundamental en nuestro estado de ánimo y bienestar mental. Al mantener un equilibrio saludable de bacterias en el intestino, podemos experimentar una mejora en nuestro estado de ánimo y una reducción del estrés y la ansiedad.

Algunas opciones deliciosas incluyen el yogur natural, el kéfir, el chucrut, el miso, el tempeh y el kimchi. Estos alimentos fermentados contienen una gran cantidad de probióticos que pueden ayudarte a mantener un equilibrio saludable en tu microbiota intestinal.

¿Sabías que también puedes cultivar tus propios alimentos probióticos en casa? La fermentación casera es una forma divertida y creativa de incorporar alimentos probióticos a tu dieta. Puedes probar hacer tu propio chucrut, kombucha o yogur fermentado. Además de ahorrar dinero, estarás agregando un toque personal a tu alimentación y contribuyendo a tu bienestar mental y digestivo.

Recuerda que cada vez que disfrutas de alimentos probióticos, estás nutriendo tanto tu cuerpo como tu mente. Estos pequeños organismos tienen un impacto significativo en nuestra salud y bienestar general. Así que, ¡adelante, abraza los beneficios de los alimentos probióticos y siente cómo te llenan de vitalidad y equilibrio!

¡Nosotros somos los protagonistas de nuestra propia salud!

Alimentos para potenciar la energía y la vitalidad: combatiendo el agotamiento mental

Podemos aprovechar el poder de los alimentos para potenciar nuestra energía y vitalidad, y combatir el agotamiento mental. Hay una amplia variedad de opciones deliciosas y nutritivas que nos ayudarán a mantenernos enérgicos y llenos de vitalidad a lo largo del día.

Los nutrientes que consumimos pueden impactar nuestra energía y vitalidad, por ejemplo: Los carbohidratos complejos, como los cereales integrales y las legumbres, nos brindan energía de manera sostenida.

Las grasas saludables, presentes en alimentos como el aguacate y los frutos secos, nos garantizan una fuente de energía concentrada y necesaria para el funcionamiento óptimo de nuestro cerebro.

También hay una amplia variedad de alimentos que son excelentes fuentes de energía y vitalidad. Desde frutas frescas y jugosas como las naranjas y las fresas, hasta verduras de hoja verde como la espinaca y el kale, que están repletas de nutrientes que nos mantienen enérgicos.

Es importante incorporar proteínas magras, como pollo, pescado o tofu, para una sensación de saciedad y energía duradera. Tampoco podemos dejar fuera de nuestra dieta los superalimentos potenciadores de energía o Superfoods revitalizantes tales como la chía, llena de ácidos grasos omega-3 y fibra que nos mantienen saciados y llenos de energía, así como las bayas, arándanos y moras, que están cargadas de antioxidantes y vitaminas ¡Estos superfoods son verdaderos aliados para nuestro bienestar mental y físico!

No podemos olvidarnos de las bebidas que nos ayudan a mantenernos hidratados y enérgicos a lo largo del día. Incluye en tu dieta opciones refrescantes como el agua de coco, rica en minerales y electrolitos que reponen reservas de energía.

Infusiones naturales, como el té verde o el mate, nos brindan un impulso de energía sostenida y nos ayudan a mantener las hierbas concentradas.

Te invito a experimentar y combinar estos alimentos energizantes en deliciosas recetas para llenarte de vitalidad y sabor. Desde batidos y ensaladas coloridas hasta platos energéticos con ingredientes de calidad, tendrás un sinfín de opciones para mantener tu energía y vitalidad al máximo.

Recuerda, la alimentación es una herramienta poderosa para nutrir nuestro cuerpo y nuestra mente. Con una dieta equilibrada y consciente, podemos combatir el agotamiento mental y disfrutar de una vida llena de energía y vitalidad. ¡Tú mereces sentirte vibrante y enérgico todos los días!

Estrategias para evitar la comida emocional: cultivando una relación saludable con la comida

A menudo, la comida puede convertirse en nuestro refugio emocional, es por esto que te quiero mostrar cómo podemos liberarnos de esa dependencia y encontrar un equilibrio nutritivo y satisfactorio.

Antes de embarcarnos en esta travesía de cambio, es fundamental reconocer y comprender qué es la comida emocional. Nuestras emociones pueden influir en nuestros hábitos alimentarios y cómo podemos identificar si estamos utilizando la comida como una forma de manejar nuestras emociones. Es importante aprender a escuchar y comprender nuestras señales internas, ya que esto nos permitirá tomar decisiones conscientes y empoderadas.

La alimentación consciente será nuestro gran aliado en este viaje hacia una relación saludable con la comida. Esta práctica transformadora nos invita a prestar atención plena a cada bocado que ingerimos. Al conectar con nuestros sentidos, saborear cada alimento y cultivar una mayor conciencia de nuestras necesidades nutricionales y emocionales, estaremos nutriendo, con cada bocado, nuestro cuerpo y nuestra mente de manera consciente y amorosa.

Hay alternativas saludables para lidiar con nuestras emociones en lugar de recurrir a la comida, son técnicas simples pero poderosas para manejar el estrés, la tristeza o la ansiedad de una manera más saludable. Desde la práctica de la meditación y la respiración consciente hasta la búsqueda de actividades placenteras y el cultivo de relaciones significativas, en cada una de ellas encontrarás diversas herramientas para nutrir tus emociones de manera positiva y satisfactoria.

Debemos aprender a reconocer nuestras verdaderas necesidades emocionales y cómo satisfacerlas sin recurrir a la comida. Descubrir nuestras pasiones, nuestros sueños y nuestras metas, conectando con lo que realmente nos hace sentir plenos y felices, va a permitir mantener una sana y saludable relación con nosotros mismos.

Recuerda que somos capaces de liberarnos de la comida emocional y cultivar una relación saludable con la comida. A través de la alimentación consciente, el autoconocimiento y la búsqueda de alternativas saludables, estaremos construyendo un camino hacia el equilibrio y la plenitud.

¡Te animo a dar el primer paso hacia una relación amorosa y nutritiva con la comida!

CAPÍTULO 11

Tejiendo redes de apoyo: conexiones que alivian el estrés

La magia del apoyo social: aliviando el peso del estrés

Permíteme compartir contigo otro valioso secreto: el apoyo social puede ser un bálsamo curativo en momentos de estrés. Saber que no estás solo, que hay personas dispuestas a escucharte y apoyarte, puede marcar la diferencia en tu bienestar mental y emocional.

Las conexiones significativas y auténticas nos brindan un espacio seguro donde podemos compartir nuestras alegrías, sospechas y miedos, y encontrar consuelo y perspectiva.

Tejiendo conexiones fuertes: técnicas para cultivar relaciones significativas

¡Es hora de tejer redes de apoyo y nutrir nuestras conexiones sociales!

Aquí tienes algunas técnicas y ejercicios prácticos que puedes aplicar en tu vida diaria:

a) Escucha activa: dedica tiempo y atención genuina cuando interactúes con los demás. Escucha activamente, mostrando interés y empatía hacia sus experiencias y emociones. Esto fortalecerá la conexión y la confianza en tus relaciones.

b) Momentos compartidos: busca oportunidades para crear recuerdos y experiencias compartidas con tus seres queridos. Organiza actividades en grupo, como salidas al aire libre, cenas caseras o noches de juegos. Estos momentos de conexión fortalecerán los lazos y generarán un sentido de pertenencia y apoyo mutuo.

c) Práctica de gratitud: expresa tu aprecio y gratitud hacia aquellos que te brindaron apoyo. Ya sea a través de una nota de agradecimiento, un mensaje de texto cariñoso o simplemente diciendo "gracias", mostrar tu gratitud fortalecerá los lazos y fomentará una cultura de apoyo en tus relaciones.

d) Llamadas sin motivo: no esperes a tener algo que decir para llamar. Recuerda como, hace años, llamábamos a nuestros amigos para hablar de cualquier cosa, para preguntarles cómo les había ido con esa persona que quedaron o si habían jugado al nuevo vídeojuego que compraron. Simplemente llama y pregunta "¿cómo estás?" Eso creará una sensación muy bonita en la persona a la que llames, ya que no es una llamada para pedir un favor o para que te escuchen, sino todo lo contrario. Esta es una bonita forma de demostrar cariño a las personas que queremos.

Las conexiones significativas no solo nos brindan apoyo emocional, sino que también nos brindan un sentido de propósito y significado en la vida. Esforzarnos por cultivar relaciones auténticas y nutridas es un regalo tanto para nosotros mismos como para quienes nos rodean.

La importancia de la comunicación auténtica: construyendo puentes de conexión

En nuestra búsqueda de serenidad interior y equilibrio, no podemos subestimar el poder de una comunicación genuina y significativa en nuestras relaciones.

Cuando hablo de comunicación auténtica, me refiero a expresarnos desde lo más profundo de nuestro ser, sin miedo a ser juzgados o rechazados. Es un acto valiente y liberador que nos permite construir conexiones más sólidas y auténticas con los demás.

La comunicación auténtica es una herramienta poderosa para construir puentes de conexión con los demás. Nos permite expresarnos desde lo más profundo de nuestro ser, escuchar con empatía y construir relaciones más auténticas y significativas. A medida que cultivamos una comunicación auténtica, encontramos un espacio donde nos sentimos comprendidos, valorados y apoyados fundamentalmente.

En primer lugar, es importante recordar que la comunicación auténtica comienza con nosotros mismos. Antes de poder transmitir nuestras emociones y pensamientos de manera clara y sincera, necesitamos estar en sintonía con nuestras propias emociones y aceptarlas sin juicio. Permítete sentir lo que sientes y valida tus propias experiencias internas.

Una vez que estamos en contacto con nuestras emociones, podemos compartir nuestra verdad con los demás. Esto implica expresar nuestros pensamientos, deseos y necesidades de una manera abierta y respetuosa. Es importante recordar que la comunicación auténtica no significa imponer nuestra opinión sobre los demás, sino más bien buscar un entendimiento mutuo y construir puentes de conexión.

La comunicación auténtica también requiere escuchar con empatía. Cuando nos abrimos a escuchar a los demás de manera genuina, creamos un espacio seguro donde se sienten valorados y comprendidos. Presta atención activa a lo que te están diciendo, muestra interés y evita las distracciones. Permitirles expresarse sin interrupciones y evita juzgar o criticar sus palabras. Recuerda que la empatía nos une y fortalece nuestras relaciones.

Además, es fundamental ser consciente de nuestro lenguaje no verbal. Nuestros gestos, expresiones faciales y tono de voz pueden transmitir más que las palabras en sí. Mantén un lenguaje corporal abierto y receptivo, y utiliza un tono amigable y tranquilo para transmitir tu mensaje. Recuerda que la comunicación efectiva no solo se basa en las palabras que decimos, sino también en cómo las decimos.

Te invito a practicar la comunicación auténtica en tus relaciones diarias. Cultiva un espacio de confianza donde puedas compartir tus pensamientos y emociones sin miedo, y también brinda ese espacio a los demás.

Círculos de apoyo: encontrando tu comunidad en tiempos de estrés

En tiempos de estrés, es normal que nos sintamos abrumados y agotados. Pero no olvides que no tienes que cargar con todo el peso por ti mismo. Buscar apoyo en otros puede ser una fuente de alivio, fortaleza y motivación. Encontrar una comunidad es como encontrar un refugio en medio de la tormenta, un lugar donde podemos compartir nuestras preocupaciones, encontrar consuelo y obtener nuevas perspectivas.

La primera clave para formar círculos de apoyo es abrirnos a la posibilidad de conectarnos con otros. A veces, en nuestro afán de ser independientes, podemos olvidar que todos necesitamos un hombro en el que apoyarnos. Acepta que pedir ayuda no es una señal de debilidad, sino una muestra de valentía y sabiduría. Permítete recibir el apoyo y el amor que mereces.

Una vez que estemos abiertos a la comunidad, es importante buscar personas con intereses y valores similares a los nuestros. Ya sea que encuentres a tu tribu en grupos de apoyo locales, o en línea a través de actividades que disfrutes, la clave está en compartir espacios con personas que comprenden tus desafíos y te brindan un ambiente seguro y de apoyo. Todos merecemos sentirnos comprendidos y aceptados por quienes nos rodean.

Además, es fundamental recordar que la construcción de una comunidad sólida es un proceso gradual. No esperes encontrar un círculo de apoyo de la noche a la mañana. La construcción de relaciones significativas requiere tiempo, paciencia y dedicación. Participa en actividades grupales, interactúa con los demás de manera genuina y mantén una mente abierta para construir conexiones duraderas.

Dentro de los círculos de apoyo, es importante cultivar una atmósfera de empatía y compasión. Escucha activamente a los demás, brinda apoyo emocional y celebra los logros de cada miembro. Todos estamos en el mismo camino hacia la serenidad interior y el equilibrio, y podemos aprender unos de otros. Juntos, formamos una red de apoyo donde nos alentamos cadenas y nos recordamos que no estamos solos.

Encontrar tu comunidad y formar círculos de apoyo es esencial para enfrentar el estrés de manera saludable. No tengas miedo de pedir ayuda y abrirte a la posibilidad de conexiones significativas. Rodearnos de personas con intereses o problemas similares a los nuestros nos fortalece y nos ayuda a encontrar la serenidad y el equilibrio que buscamos.

Encuentra tu comunidad, comparte tus preocupaciones y celebra tus triunfos con personas que te entiendan y te apoyen.

Recursos en línea: descubriendo comunidades virtuales de apoyo

En nuestra búsqueda de serenidad interior y equilibrio, a menudo encontramos desafíos y necesitamos conectarnos con otros que comprenden nuestras experiencias. avanzadas, la tecnología nos permite descubrir comunidades en línea donde podemos encontrar apoyo, inspiración y recursos útiles.

Las comunidades virtuales de apoyo son espacios en línea donde personas con intereses y desafíos similares se reúnen para compartir experiencias, brindarse mutuo apoyo y aprender juntos. Estas comunidades ofrecen un refugio digital donde podemos encontrar empatía, comprensión y consejos prácticos para enfrentar los desafíos que enfrentamos en nuestra búsqueda de serenidad.

La primera ventaja de las comunidades en línea es su accesibilidad. A través de plataformas en línea y redes sociales, podemos conectarnos con personas de todo el mundo, superando las barreras geográficas y encontrando una comunidad global. No importa dónde te encuentres físicamente, siempre puedes encontrar un lugar virtual donde pertenecer y recibir el apoyo que necesitas.

Además, las comunidades virtuales de apoyo nos ofrecen una variedad de recursos valiosos. En estos espacios, podemos encontrar artículos, videos, podcasts y otros materiales que nos ayuden a comprender mejor nuestros desafíos y descubrir nuevas estrategias para cultivar la serenidad interior. También podemos participar en discusiones grupales, hacer preguntas y compartir nuestras propias perspectivas y experiencias.

Una de las principales fortalezas de las comunidades en línea es la diversidad de voces y experiencias que se encuentran en ellas. Al unirte a una comunidad virtual, tendrás la oportunidad de interactuar con personas de diferentes orígenes, edades y perspectivas. Esto enriquece nuestro proceso de aprendizaje y nos permite expandir nuestra visión del mundo. Juntos, podemos nutrirnos y encontrar inspiración en las historias de superación de otros miembros.

Al sumergirte en una comunidad virtual, es importante recordar que cada persona es única y tiene su propio viaje. Aprecia las diferencias y muestra respeto hacia los demás, incluso cuando no estés de acuerdo. Mantén una actitud abierta y dispuesta a aprender de los demás, aprovechando al máximo las oportunidades de crecimiento personal y conexión que estas comunidades ofrecen.

Te animo a ser activo dentro de las comunidades en línea. Comparte tus experiencias, dudas y logros con los demás. No tengas miedo de pedir ayuda y ofrecer tu apoyo a quienes lo necesiten. Recuerda que el verdadero poder de estas comunidades radica en la interacción y la colaboración entre sus miembros.

El poder curativo de las mascotas

Cuando llego a casa después de un largo día y abro la puerta de mi hogar, lo primero que veo es a mis fieles compañeros peludos, Drako y Sabry, ambos siempre están en la entrada esperándome con su contagiosa alegría. Al acariciar su suave pelaje, casi de inmediato siento cómo el estrés y las preocupaciones se desvanecen.

Esto no sólo me ocurre a mi, ya que las mascotas son seres especiales que nos brindan compañía, amor incondicional y una conexión profunda que puede ser sanadora para nuestro cuerpo, mente y espíritu y tienen un don especial para brindarnos consuelo y aliviar nuestra ansiedad. Solo estar cerca de ellas nos llena de una sensación de calma y bienestar.

Las investigaciones científicas respaldan lo que muchos de nosotros ya sabemos en nuestro corazón: las mascotas tienen el poder de mejorar nuestra salud física y emocional. Estudios han demostrado que interactuar con animales puede reducir la presión arterial, disminuir el ritmo cardíaco y liberar endorfinas, las hormonas de la felicidad, en nuestro cuerpo. Además, la presencia de una mascota puede disminuir la sensación de soledad y aumentar la sensación de conexión social.

Una de las formas en que las mascotas nos ayudan a sanar es a través de su capacidad de brindarnos amor incondicional. Nos aceptan tal como somos, sin juzgar, y nos enseñan la importancia de la lealtad y la compasión. Cuando acariciamos a nuestras mascotas o jugamos con ellas, experimentamos una conexión profunda que nos llena de alegría y nos hace sentir amados. Este amor puro y desinteresado es un bálsamo para nuestra alma y nos recuerda lo importante que es dar y recibir afecto.

Además, las mascotas nos motivan a estar más activos saludables ya mantener una rutina. Pasear a nuestro perro nos brinda la oportunidad de disfrutar del aire libre, hacer ejercicio y conectarnos con la naturaleza. Jugar con nuestras mascotas, ya sea lanzando una pelota o jugando con un juguete interactivo, nos ayuda a liberar tensiones y nos proporciona momentos de diversión y alegría.

Si estás considerando agregar una mascota a tu vida, es importante tomar en cuenta tus circunstancias y responsabilidades. Cada especie y raza tiene sus propias necesidades y requerimientos, así que asegúrese de investigar y elegir la mascota que mejor se adapte a su estilo de vida. También es fundamental brindarles un cuidado adecuado, incluyendo una alimentación balanceada, atención veterinaria regular y mucho amor y cariño.

Si ya tienes una mascota, te animo a que aproveches al máximo su presencia en tu vida. Tómate el tiempo para disfrutar de su compañía, jugar con ella y brindarle los cuidados que necesita. Permítele ser tu aliado en momentos de estrés y tristeza, y celebra la alegría que trae a tu hogar.

CAPÍTULO 12

Integración. un camino a medida: tu plan personalizado para reducir el estrés

La importancia de un plan a tu medida: dando forma a tu bienestar

Estoy emocionada de compartir contigo herramientas prácticas y consejos inspiradores que te ayudarán a dar los pasos necesarios hacia una vida más equilibrada y más tranquila.

Diseñar un plan personalizado es clave para combatir el estrés de manera efectiva. Al crear un enfoque a medida, tienes la oportunidad de identificar las técnicas y prácticas que mejor se adaptan a ti y a tu estilo de vida.

No hay un plan único para todos cuando se trata de reducir el estrés. Tu plan personalizado te va a brindar la libertad de explorar y seleccionar las herramientas que más resuenen contigo.

Tejiendo las técnicas juntas: integrando lo mejor de cada mundo

Ahora es el momento de unir todas las técnicas que hemos explorado a lo largo de este libro.

Combina las estrategias que te han brindado resultados positivos y experimenta con nuevas ideas para ver qué funciona mejor para ti.

Por ejemplo, podrías integrar la práctica de atención plena, o *mindfulness*, con ejercicios físicos y el uso de afirmaciones positivas.

La clave está en encontrar una combinación que te empodere y te ayude a enfrentar el estrés de manera integral.

Tu plan de acción personal: pasos prácticos para reducir el estrés

Es el momento de crear tu propio plan de reducción del estrés. Aquí tienes algunos ejercicios prácticos para ayudarte a dar los primeros pasos:

a) Autoevaluación: reflexión sobre las técnicas y estrategias que resonaron contigo durante este viaje. Considera tus preferencias, intereses y metas personales. Esto te ayudará a seleccionar las herramientas más adecuadas para tu plan personalizado.

b) Establece metas: define metas claras y alcanzables que te permitan medir tu progreso. Estas metas pueden estar relacionadas con la práctica de técnicas específicas, la incorporación de hábitos saludables o la reducción de factores estresantes en tu vida.

c) Plan de acción: crea un plan de acción detallado que incluya los pasos específicos que tomarás para implementar tu plan personalizado. Establece un cronograma realista y haz un seguimiento de tu progreso a lo largo del tiempo.

Recuerda que este plan es flexible y evolutivo. A medida que creces y te enfrentas a nuevos desafíos, puedes ajustarlo y adaptarlo para satisfacer tus necesidades cambiantes.

¡Felicitaciones por completar este viaje transformador!

Espero que hayas encontrado inspiración y herramientas valiosas para enfrentar el estrés en tu vida.

Por favor ten en cuenta que el cambio toma tiempo y esfuerzo, pero con perseverancia y autocompasión, puedes lograr una vida más equilibrada y plena.

¡Te deseo lo mejor en tu camino hacia el bien!

CAPÍTULO 13

Abrazando el equilibrio: herramientas poderosas para la gestión del estrés

Descubriendo los comportamientos que alimentan el estrés

Ya casi llegamos al último capítulo de nuestro viaje hacia una vida más tranquila y equilibrada.

Me llena de emoción poder compartir contigo estas herramientas, inspiradoras y accesibles, que te ayudarán a encontrar la calma en medio de las tormentas de la vida.

En este capítulo, vamos a explorar una variedad de consejos, técnicas y estrategias definitivas para gestionar eficientemente el estrés.

Es importante que identifiquemos los comportamientos que perpetúan el estrés en nuestras vidas. Tomemos un momento para reflexionar sobre nuestras rutinas diarias y nuestras reacciones ante situaciones estresantes.

¿Hay patrones que se repiten y que nos sumergen en un ciclo de estrés constante? Al ser conscientes de estos comportamientos, podemos comenzar a desafiarlos y reemplazarlos con acciones más saludables y equilibradas.

Visualización: creando tu oasis de paz

La visualización es una poderosa técnica que nos va a permitir imaginar escenarios tranquilos y relajantes, esto nos va a ayudar a calmar nuestra mente y nuestro cuerpo.

Cierra los ojos e imagina un lugar sereno donde te sientas seguro y en paz. Puede ser una playa, un jardín exuberante o cualquier entorno que te brinde una sensación de tranquilidad.

Visualízate allí, respirando profundamente y dejando que las tensiones se disuelvan.

Esta práctica te ayudará a encontrar momentos de calma incluso en medio del caos.

La magia de la música: sintonizando tu bienestar

La música tiene un increíble poder para afectar nuestro estado de ánimo y reducir el estrés.

Encuentra melodías que te transmitan paz y alegría, y crea una lista de reproducción especial para momentos de relajación.

Ya sea que prefieras música suave y relajante, o ritmos enérgicos que te hagan moverte, deja que la música te envuelva y te transporte a un estado de serenidad.

Actividades respaldadas por la ciencia: el poder de lo comprobado

Existen numerosas actividades respaldadas por estudios científicos que ayudan a reducir el estrés de manera efectiva.

Algunas de ellas incluyen la práctica de la meditación *mindfulness*, el yoga, la respiración profunda y el ejercicio físico regular.

Estas actividades no solo disminuyen los niveles de estrés, sino que también promueven la salud mental y física en general. Encuentra la que más te resuene y haz espacio para incorporarla en tu vida diaria.

Consejos finales para una vida más equilibrada

Para cerrar este viaje juntos, aquí tienes algunos consejos y recomendaciones que puedes aplicar en tu vida diaria para mantener el estrés a raya:

Establece límites saludables: aprende a decir "no" cuando sea necesario y prioriza tu bienestar emocional.

Practica la gratitud: dedica unos minutos cada día para agradecer por las cosas positivas en tu vida. Esto te ayudará a cultivar una mentalidad positiva y a apreciar lo que tienes.

Busca apoyo: no tengas miedo de pedir ayuda cuando lo necesites. Conecta con amigos, familiares o profesionales de la salud mental que pueden brindarte apoyo y guía.

Cuida de ti mismo: dedica tiempo regular a actividades que te traigan alegría y relajación. Ya sea leer un libro, disfrutar de un baño caliente o practicar tu pasatiempo favorito, date permiso para cuidar de ti mismo.

CAPÍTULO 14

Brillando en tu propia luz: la transformadora conclusión

¡Enhorabuena! Hemos llegado al final de este viaje de autodescubrimiento y crecimiento personal.

En este último capítulo, quiero compartir contigo algunas reflexiones finales y brindarte herramientas adicionales para que sigas brillando en tu propia luz.

Ha sido un honor acompañarte en esta travesía, y espero que te sientas inspirado y capacitado para abrazar una vida llena de alegría, paz y autenticidad.

Celebrando tu progreso

Antes de seguir adelante, tómate un momento para reconocer y celebrar todo el progreso que has logrado hasta ahora.

Cada paso que has dado hacia una vida más equilibrada y libre del estrés es un logro importante. Permítete sentir gratitud por el camino recorrido y por la dedicación que has demostrado en tu búsqueda de bienestar.

Nutriendo tu ser interior

El autocuidado es un aspecto esencial de una vida equilibrada. Asegúrate de establecer tiempo y espacio para nutrir tu ser interior.

Esto puede incluir prácticas como la meditación, la escritura en un diario, la práctica de la gratitud o el tiempo dedicado a actividades creativas que te traerán alegría.

Escucha las necesidades de tu corazón y comprométete a honrarlas.

Expandiendo tu red de apoyo

Recuerda que no estás solo en este viaje. Busca oportunidades para conectar con otros que compartan tus valores y aspiraciones.

Participa en grupos de apoyo, comunidades en línea o actividades sociales que te permitan establecer conexiones significativas.

Al compartir tus experiencias y escuchar las de los demás, encontrarás fortaleza y enriquecimiento mutuo.

Recordatorios diarios de tu poder interior

En tu vida diaria, es importante mantener viva la conciencia de tu poder interior. Encuentra recordatorios que te inspiran y te recuerdan tu capacidad para superar desafíos y vivir una vida plena.

Puedes colocar citas inspiradoras en lugares visibles, llevar contigo un objeto simbólico o incluso crear una lista de afirmaciones positivas que refuercen tu confianza y autoestima.

Siguiendo tu propio camino

Recuerda siempre que este es tu viaje personal. No te compares con los demás ni te sientas presionado por cumplir con expectativas externas. Cada persona tiene su propio ritmo y sus propias necesidades.

Escucha tu intuición y sigue el camino que resuene con tu ser más auténtico. Confía en ti mismo y sé fiel a quien eres en cada paso del camino.

El comienzo de una nueva aventura

Este no es el final, sino el comienzo de una nueva aventura. Continúa explorando, aprendiendo y creciendo en tu camino hacia el bienestar y la plenitud. Permítete seguir descubriendo nuevas herramientas, estrategias y enfoques que te ayuden a mantener el equilibrio y la armonía en tu vida.

¡Gracias por permitirme ser parte de tu viaje hacia una vida más tranquila y satisfactoria!

Te animo a que sigas aplicando las enseñanzas compartidas en este libro y que las adaptes a tu propia experiencia. Recuerda, tú eres el protagonista de tu historia y tienes el poder de crear la vida que deseas.

Te deseo lo mejor en este nuevo capítulo de tu vida. ¡Adelante, brilla en tu propia luz y vive con pasión!

Conclusión

Un nuevo comienzo para una vida plena y equilibrada

A lo largo de este ebook, hemos explorado valiosas herramientas y estrategias para manejar el estrés y cultivar nuestro bienestar mental y emocional.

Ahora es el momento de dar un paso adelante y comenzar a aplicar todo lo aprendido en tu vida diaria.

Durante este proceso, hemos descubierto que el autocuidado es fundamental para nuestro bienestar integral. Desde establecer límites saludables hasta practicar la gratitud y el auto-reflejo, cada pequeña acción que tomes en dirección al cuidado de ti mismo marcará una gran diferencia en tu vida.

No estás solo en este viaje. Existe una red de apoyo que te rodea, compuesta por amigos, familiares y comunidades que están dispuestas a brindarte su apoyo y comprensión. Aprovecha estas conexiones, comparte tus experiencias y aprende de los demás. Juntos, podemos crecer y superar cualquier desafío que se nos presente.

Permítete explorar diversas técnicas y encontrar aquellas que mejor se adapten a ti. La meditación, la respiración consciente, el ejercicio físico, una buena alimentación, la escritura o la práctica de actividades creativas son solo algunas de las herramientas disponibles para ti.

Experimenta y descubre qué prácticas te ayudan a encontrar calma, claridad y bienestar en tu vida cotidiana.

El equilibrio es un proceso continuo. La vida está llena de altibajos, y es natural enfrentar desafíos y momentos de estrés. No te desanimes si encuentras obstáculos en el camino.

Permítete aprender de cada experiencia y recuerda que cada nuevo día es una oportunidad para comenzar de nuevo y cultivar una vida más plena y satisfactoria.

Me siento honrada de haber sido parte de tu viaje. Quiero que sepas que tienes dentro de ti la fuerza y la capacidad de enfrentar cualquier adversidad y crear la vida que deseas.

Confía en ti mismo, escucha tu intuición y mantén el enfoque en tus metas y valores más profundos.

El cambio real ocurre a través de la acción. Así que te animo a que, una vez que termines de leer estas palabras, tomes un pequeño paso hacia el cambio.

Puede ser tan simple como respirar profundamente, escribir en tu diario de gratitud o comprometerte a establecer límites más saludables en tu vida.

Este es solo el comienzo de tu viaje hacia una vida más plena y equilibrada. Sigue explorando, aprendiendo y creciendo. Estoy emocionada por ti y por el futuro que te espera.

¡Gracias por permitirme ser parte de este increíble viaje contigo!

Juntos, podemos crear una vida llena de propósito, alegría y bienestar.

Con cariño,
Simone Keys.

BONUS

Bonus 1

Afirmaciones para la autotransformación

Las afirmaciones son declaraciones positivas que nos ayudan a reprogramar nuestra mente y fomentar un cambio positivo en nuestras vidas. En el contexto del Eneagrama, podemos utilizar afirmaciones específicas basadas en cada tipo de personalidad para promover la autotransformación y el crecimiento personal.

A continuación, veamos qué afirmaciones efectivas ayudan el día a día a cada tipo de personalidad:

Personalidad Tipo 1 - El Perfeccionista

- Soy suficiente tal como soy. Me permito cometer errores y aprender de ellos.
- Reconozco que el progreso es más importante que la perfección. Me permito crecer y evolucionar en lugar de buscar la excelencia absoluta.
- Aprecio mis logros y reconozco que el éxito no está determinado únicamente por los resultados finales, sino por el esfuerzo y la dedicación que pongo en cada tarea.

Personalidad Tipo 2 - El Ayudador

- Valoro mi propio bienestar y establezco límites saludables. Me permito recibir apoyo y cuidado.
- Aprendo a decir "no" cuando es necesario y establezco límites saludables para mantener mi bienestar emocional y físico.
- Reconozco que cuidarme a mí mismo me permite estar en mejores condiciones para ayudar a los demás de manera más efectiva y sostenible.

Personalidad Tipo 3 - El Triunfador

- Mi valor no depende de mis logros externos. Mi autenticidad es mi mayor fortaleza.
- Mi valía no está ligada únicamente a mis logros externos, sino a mi autenticidad y la calidad de mis relaciones personales.
- Aprecio los momentos de descanso y disfrute, reconociendo que la verdadera felicidad no depende solo de alcanzar metas, sino de disfrutar el viaje.

Personalidad Tipo 4 - El Individualista

- Celebro mi singularidad y me acepto en todas mis facetas. Mi creatividad ilumina mi camino.
- Exploro y abrazo mi diversidad interna. Cada parte de mí tiene su propósito y contribuye a mi singularidad y crecimiento personal.

- Aprecio el poder de mi creatividad y permito que guíe mis elecciones, trayendo nuevas perspectivas y oportunidades a mi vida.

Personalidad Tipo 5 - El Investigador

- Confío en mi sabiduría interna y comparto mi conocimiento con los demás. Soy parte del todo.
- Confío en mi intuición y sabiduría interior al tomar decisiones y buscar conocimiento. Mi perspectiva única enriquece mi entorno y beneficia a los demás.
- Comparto generosamente mi conocimiento y experiencias, sabiendo que, al hacerlo, contribuyo al crecimiento y desarrollo de aquellos que me rodean.

Personalidad Tipo 6 - El Leal

- Confío en mí mismo y en el proceso de la vida. Soy valiente y capaz de enfrentar cualquier desafío.
- Confío en mí mismo y en mi capacidad para enfrentar desafíos. Estoy en constante crecimiento y desarrollo, y tengo la valentía necesaria para superar cualquier obstáculo que se presente.
- Cultivo relaciones basadas en la lealtad y la confianza mutua, creando un entorno de apoyo y colaboración en mi vida.

Personalidad Tipo 7 - El Entusiasta

- Encuentro plenitud en el presente y aprecio las bendiciones de cada momento. La alegría está dentro de mí.
- Encuentro alegría y plenitud en cada momento presente, apreciando las pequeñas cosas que me traen felicidad y gratitud.
- Cultivo una mentalidad de abundancia y optimismo, reconociendo que la alegría y la felicidad son estados internos que puedo nutrir y experimentar en cualquier momento.

Personalidad Tipo 8 - El Protector

- Soy fuerte y poderoso, me permito ser vulnerable y mostrar compasión hacia los demás.
- Reconozco mi fortaleza y poder personal, y también me permito mostrar vulnerabilidad y compasión hacia los demás.
- Uso mi fuerza y protección para cuidar y apoyar a aquellos que me importan, creando un entorno seguro y amoroso a mi alrededor.

Personalidad Tipo 9 - El Pacificador

- Me afirmo y expreso mis necesidades de manera clara y asertiva. Mi voz es importante y valorada.

- Afirmo y expreso mis necesidades y deseos de manera clara y respetuosa, sabiendo que mi voz y mis opiniones son importantes y valoradas.
- Busco la armonía y la resolución pacífica de conflictos, creando un espacio donde todos se sientan escuchados y comprendidos.

Para el buen uso de estas y otras afirmaciones positivas, es recomendable:

Sé consciente de tus pensamientos: Observa tus pensamientos y detecta patrones negativos o limitantes. Identifica las creencias que deseas cambiar y reemplázalas por afirmaciones positivas.

Elige afirmaciones poderosas: Crea afirmaciones que resuenen contigo y que sean relevantes para tu crecimiento personal. Deben ser positivas, en tiempo presente y estar formuladas en primera persona.

Repite y refuerza: Repite tus afirmaciones diariamente, preferiblemente en momentos de paz, al despertar o antes de dormir. Refuerza su efectividad visualizándote viviendo la realidad que deseas mientras las recitas.

Refuerza tus afirmaciones con acciones coherentes: Las afirmaciones son más efectivas cuando van acompañadas de acciones coherentes. Alinea tus acciones y comportamientos con las creencias y actitudes que deseas manifestar en tu vida.

Al utilizar afirmaciones basadas en cada tipo de personalidad del Eneagrama, puedes dirigir tu enfoque hacia los aspectos específicos que deseas fortalecer y transformar en tu vida.

Recuerda que las afirmaciones no son una solución mágica, sino una herramienta que te ayuda a reprogramar tu mente y crear un cambio positivo en tu vida.

El uso de afirmaciones efectivas requiere compromiso y práctica constante. A medida que practicas y te comprometes con las afirmaciones, gradualmente comenzarás a cultivar una mentalidad más positiva, confiada y empoderada.

El cambio lleva tiempo y esfuerzo. Sé paciente contigo mismo y mantén una actitud de apertura y receptividad. No esperes resultados instantáneos, sino que practica consistentemente y confía en el proceso.

Al adoptar afirmaciones positivas y realistas, puedes reprogramar tu mente y comenzar a alinear tus pensamientos, creencias y acciones con tu verdadero potencial.

No te desanimes si al principio no sientes un cambio inmediato, la práctica constante y la perseverancia son clave para obtener resultados duraderos. Con el tiempo, las afirmaciones pueden ayudarte a cambiar tus patrones de pensamiento negativos, fortalecer tu autoconfianza y permitirte alcanzar tus metas y aspiraciones.

Adapta las afirmaciones a tu propio lenguaje y forma de pensar. Elige palabras y frases que te generen una sensación de conexión y empoderamiento, las afirmaciones deben ser realistas y creíbles para ti, ya que tu mente necesita aceptarlas como verdaderas para que sean efectivas.

A medida que practiques las afirmaciones de manera consistente y las integres en tu vida diaria, comenzarás a notar cambios positivos en tu forma de pensar, sentir y actuar. Por ejemplo, si afirmas que eres una persona saludable, apoya esa afirmación con elecciones alimenticias saludables y ejercicio regular.

Las afirmaciones poderosas pueden ser una herramienta invaluable para la autotransformación y el crecimiento personal. Al combinar afirmaciones efectivas con visualizaciones claras y acciones coherentes, podrás cultivar una mentalidad positiva y construir una vida más alineada con tu verdadero ser.

Bonus 2

Pasos para Construir Relaciones Saludables

Las relaciones saludables y significativas son fundamentales para nuestro bienestar emocional y personal. Nos brindan apoyo, compañía y un sentido de conexión profunda. Sin embargo, construir relaciones saludables puede ser un desafío, ya que cada individuo trae consigo experiencias y patrones de comportamiento únicos.

La base de toda relación saludable es una comunicación abierta y honesta, esto implica:

- Aprender a expresar nuestros sentimientos, pensamientos y necesidades de manera clara y respetuosa.
- Escuchar activamente a tu pareja, amigo o familiar, mostrando interés genuino y empatía.
- Establecer límites claros en las relaciones, esto es esencial para garantizar el respeto mutuo y el equilibrio emocional.
- Aprender a decir "no" cuando sea necesario y a poner límites en situaciones incómodas.

La confianza es un pilar fundamental en las relaciones saludables. Para construirla, es importante:

- Ser auténtico.
- Cumplir con las promesas y compromisos.

- Evitar la manipulación, la deshonestidad y el engaño.
- Practicar la empatía y la comprensión al ponerse en el lugar del otro y validar sus emociones y perspectivas.
- Identificar y abordar los patrones tóxicos, comportamientos abusivos o falta de respeto en las relaciones.

Superar los patrones tóxicos requiere un trabajo personal y un compromiso mutuo. Puedes buscar apoyo profesional o considerar la terapia para trabajar en la sanación y el cambio.

Es importante recordar que cada relación es única y requiere atención constante. Al desarrollar una mayor conciencia de ti mismo y de tus patrones de relación, podrás nutrir y fortalecer tus conexiones con los demás.

Recuerda que las relaciones saludables también implican cuidar de ti mismo. Establece límites y dedica tiempo para tu autocuidado físico y mental.

Bonus 3

Técnicas prácticas para Cultivar la Resiliencia Emocional

La resiliencia emocional es una habilidad esencial para enfrentar los desafíos y adversidades de la vida con fortaleza y adaptabilidad. Nos permite recuperarnos de las dificultades y mantener una actitud positiva.

La resiliencia emocional es esencial para nuestro bienestar emocional y mental, nos ayuda a enfrentar situaciones estresantes, superar fracasos y mantener una mentalidad positiva. Al cultivarla, desarrollamos la capacidad de manejar nuestras emociones de manera saludable y construir una base sólida para el crecimiento personal.

Existen varios aspectos que la resiliencia emocional puede fortalecer en nuestra personalidad. Por ejemplo:

Adaptación al cambio: Permite adaptarnos a los cambios y transiciones de la vida de manera más efectiva. Nos ayuda a aceptar y superar los obstáculos, encontrando nuevas oportunidades en medio de la adversidad.

Manejo del estrés: Nos ayuda a manejar el estrés de manera más eficiente. Nos permite identificar nuestras respuestas emocionales ante situaciones estresantes y tomar medidas para reducir el impacto negativo del estrés en nuestra salud y bienestar.

Autoconfianza: Fortalece nuestra confianza en nosotros mismos. Nos ayuda a creer en nuestras habilidades para superar los desafíos y nos brinda la valentía necesaria para enfrentar situaciones difíciles.

Existen diversas prácticas que pueden ayudarte a fortalecer tu resiliencia emocional. A continuación, te presento algunos ejercicios y técnicas recomendadas:

Autoconocimiento emocional: Toma el tiempo para explorar y comprender tus propias emociones. Practica la atención plena y la introspección para reconocer tus patrones emocionales y cómo te afectan. Esto te permitirá desarrollar una mayor conciencia de ti mismo y de tus respuestas emocionales.

Construcción de una red de apoyo: Cultiva relaciones sólidas y de apoyo con familiares, amigos y miembros de tu comunidad. Comparte tus sentimientos y experiencias con personas de confianza, ya que esto puede brindarte el apoyo emocional necesario en momentos difíciles.

Búsqueda de apoyo social: Busca el apoyo de personas cercanas a ti, como amigos, familiares o grupos de apoyo. Compartir tus experiencias y emociones con otros puede ayudarte a obtener perspectivas diferentes y sentirte comprendido. Participa en actividades sociales que te brinden conexiones positivas y te permitan sentirte parte de una comunidad.

Practica la autocompasión: Aprende a tratarte con amabilidad y comprensión cuando enfrentes desafíos o te equivoques. Reconoce que todos cometemos errores y que el crecimiento personal implica aprender de ellos. En lugar de juzgarte severamente, practica la autocompasión y date permiso para ser humano.

Mantén una actitud de aprendizaje: Cultiva una mentalidad abierta y receptiva al aprendizaje continuo. Considera cada experiencia como una oportunidad para crecer y aprender más sobre ti mismo. Sé curioso y dispuesto a explorar nuevas perspectivas y enfoques en la vida.

Aceptación y adaptación: Aprende a aceptar las circunstancias que no puedes cambiar y enfócate en adaptarte a ellas. Reconoce que el cambio es una parte inevitable de la vida y busca nuevas formas de abordar los desafíos.

Práctica de la resolución de problemas: Desarrolla habilidades para resolver problemas de manera efectiva. Divide los desafíos en pasos más pequeños y abordables, y busca soluciones creativas. Esto te ayudará a enfrentar los obstáculos con una mentalidad proactiva.

Cuidado personal: Prioriza tu bienestar físico y mental. Dedicar tiempo a actividades que te brinden alegría, descanso y rejuvenecimiento es fundamental para cultivar la resiliencia emocional. Establece límites saludables en tu vida y aprende a decir "no" cuando sea necesario. El autocuidado también implica mantener una alimentación balanceada, descansar lo suficiente y mantener una rutina de sueño adecuada.

Desarrollo de habilidades de afrontamiento: Aprende técnicas de afrontamiento saludables para manejar el estrés y las emociones negativas. Esto puede incluir la práctica regular de ejercicio físico, técnicas de relajación como la meditación o la respiración profunda, y la búsqueda de actividades que te ayuden a expresar tus emociones, como escribir en un diario o practicar un hobby.

Cultivo de pensamientos positivos: Practica la gratitud y el enfoque en aspectos positivos de tu vida. Desafía tus pensamientos negativos y reemplázalos por afirmaciones positivas. Elabora una lista de logros pasados y fortalezas personales para recordarte tu capacidad de superar obstáculos y enfrentar desafíos.

Desarrollar la resiliencia emocional es un proceso continuo que requiere práctica y dedicación. Al fortalecer nuestra capacidad para manejar las emociones y adaptarnos a las situaciones difíciles, podemos enfrentar los desafíos de la vida con confianza y mantener una perspectiva positiva.

Utiliza estos ejercicios y técnicas para construir una base sólida para tu bienestar emocional y crecimiento personal.

Recuerda ser amable contigo mismo durante este viaje de autotransformación.

Bonus 4

Ejercicios de Visualización y Transformación Personal

La visualización puede ser una forma efectiva de explorar y profundizar en nuestro interior, es una herramienta poderosa que nos permite acceder a nuestra imaginación y crear imágenes mentales vívidas y significativas.

Mediante la visualización, podemos conectar con nuestras metas, sueños y deseos más profundos, y utilizar esta poderosa herramienta para potenciar nuestro autoconocimiento y nuestro crecimiento personal.

En este bonus, aprenderemos algunos ejercicios de visualización que nos ayudarán a transformar nuestra vida de manera positiva y significativa.

Veamos algunos ejercicios de visualización que pueden ayudarnos a potenciar nuestro autoconocimiento:

La sala de los espejos: Imagina que entras en una sala llena de espejos. Cada uno refleja una faceta diferente de tu personalidad, tus fortalezas, tus debilidades, tus sueños y tus miedos. Observa detenidamente cada reflejo y reflexiona sobre lo que revela sobre ti. Usa esta visualización para obtener una comprensión más profunda de quién eres.

El jardín interior: Cierra los ojos e imagina que caminas por un hermoso jardín. Cada elemento del jardín representa un aspecto de tu vida: las flores simbolizan tus relaciones, los árboles representan tu crecimiento personal, el agua refleja tu tranquilidad interior. Observa cómo se ve cada elemento y cómo interactúan entre sí. Reflexiona sobre lo que te gustaría cambiar, mejorar o cultivar en tu jardín interior. Utiliza esta visualización para explorar tus deseos y metas en diferentes áreas de tu vida.

Nuestra imaginación tiene un poderoso impacto en nuestra percepción y en nuestra capacidad de crear cambios positivos en nuestra vida. Utilicemos la imaginación como una herramienta de cambio positivo.

Viaje al futuro: Cierra los ojos e imagina que te encuentras en un futuro lejano, donde has logrado todos tus objetivos y te sientes plenamente realizado. Observa tu vida en este futuro y visualiza todos los detalles: cómo te sientes, qué logros has alcanzado, cómo te relacionas con los demás, etc. Utiliza esta visualización para conectarte con tu visión de éxito y para establecer metas claras y motivadoras en el presente.

Transformación de creencias limitantes:
Identifica una creencia que te impide avanzar hacia tus metas. Cierra los ojos e imagina que sostienes esa creencia en tus manos. Visualiza cómo transformas esa creencia en algo positivo y empoderador. Imaginar que la creencia se convierte en una semilla que plantas en el suelo fértil de tu mente, y disfruta como va creciendo una nueva creencia que te fortalece y te impulsa hacia el éxito.

Recuerda que la visualización es una práctica personal y única para cada persona. Puedes adaptar los ejercicios de visualización a tus propias necesidades y preferencias. Encuentra un lugar tranquilo, cierra los ojos, respira profundamente y sumérgete en la experiencia imaginativa.

Al utilizar estas poderosas visualizaciones, desarrollarás una conexión más profunda contigo mismo, descubriendo nuevas posibilidades y potencialidades en tu vida.

La visualización no solo te ayuda a enfocarte en tus metas y sueños, sino que también te proporciona una herramienta efectiva para superar obstáculos, fortalecer tu confianza y despertar tu creatividad.

A medida que te sumerges en tu imaginación, te abres a nuevas perspectivas y posibilidades, creando una base sólida para el crecimiento y el cambio positivo en tu vida. Así, podrás avanzar hacia la manifestación de tu verdadero ser y vivir una vida plena y significativa.

Las visualizaciones son una valiosa herramienta para la transformación personal, permitiéndote potenciar tu autoconocimiento, explorar tus deseos y metas, y transformar creencias limitantes en empoderadoras.

Al construir relaciones saludables, estarás cultivando un entorno de apoyo, confianza y crecimiento mutuo. A través de la atención y el compromiso, puedes crear relaciones duraderas y significativas que te impulsen hacia una vida más plena y satisfactoria.

Capítulo "La buena voluntad"

Los estudios han demostrado que las personas son más felices y se sienten más realizadas cuando dan a los demás sin esperar nada a cambio.

Espero que tu experiencia lectora o auditiva de hoy te produzca esa misma emoción...

Sólo te llevará uno o dos minutos responder a una pregunta básica.

¿Qué pasaría si pudieras marcar la diferencia en la vida de alguien a quien nunca has conocido y no tuvieras que pagar por ello ni obtener crédito por ello?

Si te gusta la idea, me gustaría hacerte una breve petición.

Por favor, si has sacado algo de la lectura de hoy, dedica un par de minutos de tu día a valorar este libro objetivamente. Sólo te llevará 30 segundos de tu tiempo hacer saber a los demás lo que piensas.

Compartir lo que has aprendido y lo que te ha inspirado puede contribuir en gran medida a empoderar a los demás.
¿Has escrito alguna vez la reseña de un libro?

Si utilizas un Kindle u otro dispositivo electrónico

de lectura, puedes dejar una reseña deslizando el dedo hacia arriba desde la última página del libro.

Si has comprado una copia física de este libro puedes dejar una reseña en la página del producto en Amazon.

Una opinión positiva tuya ayuda a que mi trabajo llegue a más personas y afecte positivamente a su vida, salud y bienestar.

Espero que hayas disfrutado del viaje a través de las páginas de este libro y que mis experiencias te aporten y te motiven a recorrer tu propio camino hacia tu crecimiento personal, bienestar y felicidad.

¡Feliz camino!
Simone Keys

Ingram Content Group UK Ltd.
Milton Keynes UK
UKHW021845100723
424887UK00005B/98